Le petit prince de Belleville

CALIXTHE BEYALA

Calixthe Beyala

Le petit prince de Belleville

Éditions J'ai lu

La culture c'est pour tous.
De gré ou de force.
Education OBLIGATOIRE.

Ainsi, les autres peu à peu viennent nous déranger. Prêter mon fils à d'autres compétences que les miennes — aux hommes et femmes que je ne connais pas, mais qui, me dit-on, sont certifiés pour la pédagogie. Ainsi l'enfant s'échappe de moi. Je n'ai plus qu'à accepter, signer des livrets scolaires qui décrivent ses faiblesses, son développement. Etrange civilisation qui juge l'enfant selon des critères et des notes où son intelligence est chiffrée.

La magie des raisons contraires m'échappe.
J'ai longuement pensé à cette affaire.
Je ne reconnais plus les miroirs visibles.
Chaque jour nourrit mes yeux hagards.
D'autres mots se forment contre les miens.
L'argot des générations de ceux qui détiennent le savoir, la science.
Et mon âme? Eh bien mon âme s'accroche aux voyages inaccessibles.
Mal en chair par le poison de l'exil.
Je suis si peu de ce monde que je préfère céder.

> (Abdou Traoré,
> père vénéré de Loukoum)

Je m'appelle Mamadou Traoré pour la gynéco-
logie, Loukoum pour la civilisation. J'ai sept ans
pour l'officiel, et dix saisons pour l'Afrique.
C'était juste pour pas prendre de retard à l'école.
D'ailleurs, je suis le plus grand de la classe, le
plus fort aussi. Normal, puisque les Noirs sont
plus forts que n'importe qui. C'est comme ça.
J'habite 92, rue Jean-Pierre-Timbaud, cinquième
étage sans ascenseur. Nous sommes un tas à la
maison, et si vous connaissez le coin, vous savez
que c'est toujours plein de tribus qui viennent
d'Afrique et qui vivent en tas sans négliger personne. Solidarité oblige.

Je m'appelle Mamadou Traoré pour la gynéco-
logie, Loukoum pour la civilisation. J'ai sept ans
pour l'officiel, et dix saisons pour l'Afrique.

J'ai toujours été sage. Alors, si vous pouvez me
faire un signe pour savoir ce qui m'arrive. Cet
automne, après que le père est parti au travail,
j'ai entendu les mères se chamailler.

Les mères ? Eh bien ! J'en ai deux et c'est elles
qui sont les causes de tout ce raffut ! Vous savez
bien ! C'est passé dans les journaux. Un nègre
avec deux femmes et un tas de mômes pour toucher les allocations familiales. Ça a fait un foin
du diable ! J'étais sur le cul ! Mais zut alors !
Comment j'aurais pu savoir que tout le monde
n'avait qu'une femme et qu'un môme n'avait
qu'une mère ? Moi, je pensais tout naturellement
que les enfants de l'école en avaient aussi deux,
mais jamais je ne leur ai rien demandé, vu qu'il
fallait pas en parler.

Mais vaut mieux que je commence par le com-
mencement et par vous dire pourquoi les mères
se sont chamaillées. C'était à cause que je savais
pas lire et que la maîtresse, Mademoiselle Gar-

nier, m'a harponné tout de suite, comme elles le font toujours.

Elles sont marrantes, ces maîtresses, je sais pas comment ça se fait, mais elles sont toutes pareilles. Elles vous posent toujours les mêmes questions, et quand on veut leur expliquer que nous, on apprend le Coran et que le Coran est toute la science infuse qu'il y a sur terre et que le père est conseiller auprès d'Allah et que d'ailleurs j'ai pas besoin d'apprendre à cause que les femmes vont bosser pour moi, elles se regardent en secouant la tête et en disant :

— Oh ! C'est affreux. Le pauvre gosse.

Toujours est-il que Mademoiselle Garnier m'a demandé où j'habitais exactement, ce que faisaient mon père et ma mère, si je savais lire et écrire et tout ce qui s'ensuit, et quand j'ai répondu : « Et comment, que je sais lire », elle m'a apporté le livre en question, pour voir. Un livre épatant, d'ailleurs, du moins d'après ce que j'ai pu piger. Ça parlait d'un gosse, un petit prince qui voit un chapeau qui se transforme en serpent et c'était chouette. Qu'est-ce que je donnerais pour pouvoir remettre la main dessus et savoir comment ça finit... Si vous savez quelque chose, écrivez-moi à l'adresse ci-dessus indiquée.

Petit prince [note manuscrite en marge]

Pour en revenir à Mademoiselle Garnier, en voyant tout le mal que ce livre me donnait, elle a ajusté ses lunettes, elle m'a regardé et elle a fait :

— Hum... Hum... je m'en doutais !

C'est vrai que c'était pas comme sur des roulettes. C'est pas qu'il y avait des mots difficiles, mais le type qui l'avait écrit avait des mots kilométriques, des mots et des mots à rallonges.

— Mamadou, tu aurais dû me dire que tu ne

savais pas lire. Tes parents ne t'ont-ils jamais dit qu'un petit garçon ne doit pas mentir ?

— D'abord, je suis pas un petit garçon. Ensuite, je sais lire, M'amzelle. Seulement ce truc-là, c'est écrit si bizarre !

— Oserais-tu insinuer que Saint-Exupéry ne maîtrisait pas les règles élémentaires de la grammaire française ?

— Connais pas qui c'est ce type. Mais j' sais une chose, c'est que son machin est drôlement construit et que personne ne pourrait rien y piger. Tenez, je vais vous faire voir.

J'avais un chewing-gum dans la bouche. Je l'ai sorti sur le bout de ma langue et j'ai fait une bulle. Ça a pété *clash !* puis je suis allé au tableau, alors, j'ai écrit.

— Tenez, je lui dis en montrant du doigt où c'était, regardez ça : « Wa ilâhoun Wâhid, lâ ilâha illâ houwa rahmânou-rahîm. »

Là, elle m'a arrêté, et qu'est-ce qu'elle m'a passé ! Elle voulait pas croire que je lisais pour de bon. Moi, je lui disais pourtant que c'était inscrit là sous son nez, en toutes lettres, que : « Votre Dieu est un Dieu unique, nul autre Dieu que lui, clément, le miséricordieux. »

— Vous voyez bien, je lui ai dit, que c'est vous qui comprenez rien.

Alors elle a fait :

— Eh bien, ça c'est le bouquet !

Ça lui a suffi. Elle a dit qu'un garçon qui sait pas lire autre chose que le Coran, c'est honteux et contraire au mode de vie français, et qu'elle allait saisir l'inspection académique et me mettre dans une école spécialisée. Ça me plaisait pas, bien sûr, mais je ne pouvais rien faire et fallait bien que j'attende que mon papa sorte de son service de poubelles.

Toujours est-il que les élèves sont méchants et ils se sont mis à chahuter et à crier : « Il sait pas lire-eu ! » Et j'étais malade d'entendre tous ces gosses brailler. Comme si c'est pas malheureux, ça, d'être intolérant. Après l'école, M'am est venue me chercher. Alors, il y a eu comme qui dirait une réunion, avec la maîtresse, et puis avec le Directeur de l'école, et ça chauffait dur avec M'am, qui leur disait qu'elle faisait tout ce qu'elle pouvait et allait plus me quitter jusqu'à ce que je connaisse parfaitement le français.

Moi, dans mon coin, je tâchais de bigler encore quelques lignes du livre, des fois qu'ils me l'auraient repris, et j'ai demandé à M'am :

— Tu as entendu parler de Saint-Exupéry ?

— Ouais, elle m'a répondu. Il est dans le Coran verset 18.

En entendant ça, ils lui sont tombés dessus et c'est là qu'elle s'est rappelé son estomac. C'est une personne délicate, distinguée et tout ce qui s'ensuit. Seulement elle a des espèces de *gloo-gloc* dans son estomac et chaque fois que ça lui arrive, elle met la main sur sa bouche et elle dit : « Excusez-moi. » Supporter un truc pareil toute la journée, c'est pas drôle du tout. Du tout. En plus de ça, elle a un fibrome. Il y a sept, huit ans de cela, elle se l'est fait enlever avec d'autres choses encore et cet idiot de médecin n'a rien trouvé de mieux à dire que c'était le plus gros et le plus beau fibrome qu'on ait jamais vu, à part celui que je ne sais plus qui avait retiré de l'utérus d'un éléphant. Toujours est-il que M'am est tellement fière de cette histoire qu'elle a ramené le fibrome à la maison, qu'elle l'a mis dans un grand bocal pour le montrer à tout le monde. Une fois, elle a ouvert la porte (par erreur, bien sûr) à une assistante sociale, et voilà que M'am lui a parlé de son fibrome pendant six heures d'affilée sans respirer. Finalement, la jeune assistante sociale lui a donné des documents à remplir en disant qu'elle reviendrait les récupérer à son retour des vacances. Petit à petit, plutôt que de passer leur temps à éviter M'am, au lieu de lui dire : « Comment ça va, Madame Abdou ? », ils demandent : « Comment va ton fibrome ? » Là, M'am fait un sourire immense et dit : « Très bien, merci. » Ensuite, elle passe à autre chose, l'air finaude.

— Vous vous rendez compte, elle leur dit, un fibrome de sept kilos. Même nos grands hommes n'ont pas pesé ça à la naissance. Trois kilos tout au plus ils ont fait. De Gaulle, Mitterrand, Alain Delon, Johnny Hallyday, Mireille Mathieu, Dalida.

Là, le Directeur, il s'étrangle un peu et il dit :

— Désolé, Madame, mais si nous revenions à votre fils ?

— Mon fils ? Ah, celui-là, Monsieur, vous pouvez pas comprendre. Toujours le nez fourré dans les livres ! Toute la journée, Monsieur ! A ce rythme-là, il en saura bientôt plus long qu'une assistante sociale.

— Madame, parlons sérieusement. Si vous désirez que votre fils s'intègre dans sa classe, il est temps de prendre des mesures...

— Dites pas ça, Monsieur. Dites pas ça, mon bon Monsieur... C'est du racisme ! Parfaitement ! Du racisme !

— Madame...

— N'ajoutez rien ! ah, ça, qui l'aurait cru !

— Madame, ici tous les enfants…

— Pas tous les enfants, Monsieur le Directeur. Pas tous les enfants… Mon petit Loukoum est si gentil ! Donnez-lui une chance et vous n'allez pas le regretter. Ah, que non !

Et M'am avait les larmes aux yeux rien qu'à dire combien j'étais gentil.

Ce qui fait qu'ils ont encore discuté pendant un bout de temps et finalement ils se sont mis d'accord avec M'am et ils m'ont permis de rester dans la classe à Mademoiselle Garnier. Mais ils l'ont prévenue que si je ne savais pas lire et écrire avant la fin du trimestre, ils m'enverraient pour de bon dans une école spécialisée d'Antony. A Antony j'ai pensé… Ça m'a paru drôle, vu qu'on y avait jamais mis les pieds, mais je n'ai rien dit.

Nous sommes sortis de l'école. Dehors le ciel était complet, c'est-à-dire tout barbouillé. Il allait pleuvoir. Je voyais le nuage qui s'amenait. Il était noir et long et se tortillait tellement que je voyais pas par où il allait. Nous avons couru mais l'orage nous a rattrapés. Alors, nous nous sommes réfugiés au café de Monsieur Guillaume.

Monsieur Guillaume a des petits yeux noirs avec un nez crochu et une barbe poivre et sel qui lui mange toute la figure. Il a le ventre comme une femme enceinte et ses cheveux broussailleux commencent à grisonner.

Dès qu'il nous voit, ses yeux deviennent deux minuscules fentes de bonheur et M'am demande :

— Comment vont les affaires, mon cher cher Guillaume ?

— Mal ! Depuis qu'il y a la crise dans ce pays, ça marche pas du tout. Mon chiffre d'affaires a baissé de moitié. Les nègres ne sortent plus, alors...

— C'est pas de chance, qu'elle fait, M'am.

Monsieur Guillaume secoue la tête comme quelqu'un qui n'y comprend goutte, et il dit :

— En plus, il y a de la flicaille partout, ça n'arrange pas les choses. Pourvu qu'on me chasse pas celui-là aussi, qu'il ajoute en roulant les yeux vers la gauche.

Le temps qu'on tourne la tête pour regarder, la personne que nous indiquait Monsieur Guillaume s'était levée. C'est Monsieur Kaba.

Monsieur Kaba nous vient de la Guinée. C'est le monsieur le mieux habillé de Paris que vous pouvez imaginer. Il a des chemises roses et des cravates de luxe. C'est le plus grand maquereau des Noirs de Belleville. Il est accompagné de son garde du corps Monsieur Richard Makossa et de deux filles. L'une d'elles, je la connais bien. Elle s'appelle Tatiana. C'est pas une vraie fille, bien sûr, vu qu'elle a des seins en postiche et qu'elle peut pas faire de mômes. L'autre fille, j' la connais pas. Elle a des cheveux rouges comme couleur. Et elle porte une espèce de brassière très écourtée avec une ceinture et des bottes. Elle est rudement jolie. On voit bien que Monsieur Guillaume la trouve très mignonne.

Monsieur Kaba s'approche de nous, les deux mains en avant, son cigare dans le bec, et il dit :

— Mais regardez qui nous rend visite ? Madame Abdou en personne !

Il embrasse M'am sur les joues et demande :

— Qu'est-ce que tu me racontes de beau, ma chère ?

— Rien de spécial, mon ami... Et toi, ça boume ?

— Ouais... Sauf les fachos qui nous cassent les pieds. Ils veulent nous chasser d'ici, alors...

— Ils peuvent pas réussir, qu'elle dit, M'am. Nous sommes ici chez nous. Mon mari est ancien combattant.

— Que Dieu t'écoute, ma chérie... Mais parlons de choses plus agréables...

Il tire sur son gros cigare avant de continuer :

— Je pensais te rendre visite un de ces quatre... Y a bien longtemps que j'ai pas mangé un bon riz au poisson.

— Quand tu veux, mon cher. T'es le bienvenu. M'am est toujours là.

— Je sais, je sais, qu'il dit. Mais comment va ce cher Abdou ? D'abord où est-il ?

— Au travail.

— Ah ! Moi, si j'avais une femme comme toi, je la perdrais pas de vue une minute ! Pas une !

— Où elle est ta femme, mon oncle ? j' demande.

— En Afrique.

— Et pourquoi que t'es pas avec elle ? Et où sont tes enfants ? Et pourquoi qu'ils ne vivent pas en France ?

Il me répond pas. Il laisse son cigare pendre dans son bec et répandre de la cendre par terre sans regarder à la dépense. Puis il se tourne vers M'am et lui dit :

— Intelligent, ton fils.

— Ouais.

Monsieur Kaba hoche la tête d'un air entendu.

— Il fera quelqu'un de capable plus tard. Il en pose des questions ! Pour peu qu'il trouve quelqu'un pour lui répondre, il finira par en savoir plus qu'un inspecteur de police.

Monsieur Kaba repart s'asseoir. Et il nous dit :

— Venez donc vous asseoir un brin.

— Oh, que non ! C'est pas un lieu pour une f...
J' veux dire pour...

— Eh bien, l'ami ! Qu'est-ce que j' disais. (Il se
tourne vers Makossa.) J' te l'ai dit ! Prends la plupart de ces noms de Dieu de culs roses qui passent leur temps à s'engraisser à nos dépens ; elles
n'en font pas une ramée pour gagner leur blé.
Mais ces nanas de chez nous, c'est pas pareil.
Elles se décarcassent pour leurs pauv' mecs, toujours à s' tourmenter pour c' qu'ils vont bouffer !
Ça vous met de la fierté au cœur de les savoir
toujours sur la brèche.

Les deux filles assises à sa table se sont regardées, l'air on peut pas plus sérieux, mais on voit
bien qu'elles ont tout le mal du monde à pas rigoler. Puis tout d'un coup, Tatiana se met à glous-
ser, la fille aux cheveux rouges en fait autant.
Et naturellement, elles éclatent. Elles rigolent
comme des bossues, à tel point qu'elles sont obli-
gées de s'accrocher l'une à l'autre.

Tatiana s'essuie les yeux.

— L'apocalypse ! fait Tatiana.

Là-dessus, elle se plie en deux en rigolant de

15

plus belle. Elles s'adossent au mur et se payent une bonne tranche. On doit les entendre à des kilomètres.

— Voyez-vous ça! il dit Monsieur Kaba. Le péché et la corruption font craquer la terre!

Il se tait, fronce les sourcils, lève un doigt et continue :

— L'heure viendra, je vous avertis! Armaguédon n'est pas loin! Il va tous vous écraser!

— C'est qui, Armaguédon? je demande à M'am.

— J'en sais rien. Mais ce qui est sûr, c'est qu'il lui passera dessus.

Alors là, la fille aux cheveux rouges se lève.

— Où vas-tu? demande Monsieur Kaba.

Elle répond pas, l'air de s'en foutre royalement. Elle tire un tabouret et s'assoit au comptoir.

— Eh ben…, fait Monsieur Kaba. Il est l'heure de bosser, t'as pas oublié, j'espère?

Elle regarde autour d'elle, puis elle répond :

– – En dehors de ces bipèdes-là, j' vois personne. S'il en vient un qui a l'air d'être quelqu'un, préviens-moi.

— J'écoutais justement la radio, fait Monsieur Guillaume. Paraît qu'ils n'ont jamais vu ça depuis l'exode kurde.

— Merde! Merde! crie Monsieur Kaba. J'ai fait c' qu'il faut dès que j'ai su. La concurrence arabe se fait drôlement sentir. Alors, si les Roumains s'y mettent aussi, nous sommes cuits.

— Y a pas de quoi fouetter un chat, dit Monsieur Guillaume. Avec la poule que tu viens de dégotter, ça devrait faire des recettes. Ha! Ha! Tu peux te vanter d'avoir du vice.

16

— Oh, la ferme ! fait la fille aux cheveux rouges.

Les yeux de Monsieur Guillaume s'ouvrent comme deux boules de loto. Il ouvre la bouche et il n'en sort rien d'autre que des *fftt… tssss…* J'ai l'impression qu'il rigole ou bien qu'il s'étrangle, va savoir.

— Hé, le vieux, elle dit encore. Rembobine ta langue ou tu vas mouiller ton plastron.

Monsieur Kaba la regarde.

— Esther, je crois t'avoir dit de pas parler comme ça aux mecs.

— Ça va, ça va, elle répond. On s'ennuie à crever alors.

Puis elle allume une cigarette, tire une bouffée, regarde ses jambes et lève les yeux vers Monsieur Guillaume.

— Eh bien, qu'est-ce qu'y a, grand-père ? J'ai des boutons quéqu' part ?

— Hein ? Heu… Non. L'espace d'une minute, j'ai cru qu'on s'était déjà rencontrés.

— Ça m'étonnerait !

— T'emballe pas, fait Monsieur Kaba en regardant Monsieur Guillaume. Esther appartient à une des plus vieilles familles aristocrates de France. C'est une jeune fille sensible dont le fiancé a été tué dans un accident de la route. Elle a des nerfs un peu à vif, faut comprendre.

— Pauv' petite, dit Monsieur Guillaume. Je vous plains bien de c' qui est de votre fiancé. Vous trouverez ici une famille et vous pouvez compter sur tout le monde, n'est-ce pas, les mecs ?

— Ouais ! répondent les autres.

M'amzelle Esther bâille et dit :

— Exactement c' qu'il me faut.

Alors là, M'am me prend par le bras, lève la main et dit :

— Au revoir, tout le monde !

— Restez donc un peu, dit Monsieur Kaba.

— Prenez donc un verre, propose Monsieur Guillaume.

— Faut qu'on s'en aille, j'ai le repas à préparer et puis pas mal de rangement. Mais passez donc un de ces quatre à la maison et j' vous ferai un bon riz au poisson.

— Avec plaisir, Madame Abdou, fait Monsieur Kaba.

Nous sommes sortis.

Dehors, l'orage nous attendait. La pluie tombait comme des petites torpilles sur les voitures et faisait beaucoup de bruit. On était à cinq cents mètres de la maison. On a pris un tournant et on a débouché rue Jean-Pierre-Timbaud. M'am marchait devant sans une parole.

— Elle est belle, M'amzelle Esther, je lui fais. Tu crois qu'elle est aristocrate ?

— Ça m'étonnerait.

— Ça m'étonnerait aussi. Mais elle a les manières des filles chics.

On dirait que M'am ne m'entend pas. Elle s'arrête brutalement devant l'entrée de notre immeuble et elle dit comme pour elle-même :

— La poule !

Débrouillez-vous! Débrouillez-vous! Volez! Pillez! L'essentiel? Ne pas se faire prendre.

Je connais ces mots. Ils me tiennent compagnie et éloignent de moi le gouffre. Ils défont ma lassitude et m'emplissent de rêves. Ils vont et viennent dans ma tête comme une balle entre mes mains. Ils m'usent, m'épuisent mais je m'accroche à eux comme à un bout de terre, à un arbuste.

Je peux tout vous raconter. J'ai rencontré tellement d'hommes et de femmes, venus par grappes s'accrocher à la ville. Paris. Une image, un parfum, un mirage sans soleil, sans arbres.

Aux heures d'insomnies, j'arpente les rues, les ruelles. La nuit ceint mes reins de solitude et déshabille ma mémoire. J'y entends d'une ville oubliée les bruits qui se dispersent, un lointain grondement, une respiration qui se tait, et le silence des abîmes qui s'installent. Rien ici, personne ici, tout est absent dans l'intérieure nuit où l'ami repose, et qui donc veillerait? Moi. Mes fantômes. Ma terre.

Et si c'était l'honneur, d'attendre dans cette nuit que le temps dégringole, et si la nuit obscure annonçait des jardins éblouissants? Si l'ombre soudain traversée d'éclairs se déchirait révélant le jour promis ?

J'attends toujours. Vingt ans. Vingt années longues comme la tristesse.

Pourtant, là-bas sur cette terre qui ne nous appartient plus, le tam-tam murmurait. Les bouches soufflaient l'espoir : L'argent, l'argent ! Il est là dans ce paysage transparent au-delà des mers, au milieu des voitures, des lampadaires et des murs fêlés... Les bouches disaient : Il y a de l'argent, des millions à ramasser, partout, avec les mains, avec la tête, avec le cœur, avec les fesses... Il fallait se débrouiller. Débrouillez-vous !

La fortune a ouvert ses ailes, l'exil a commencé.

Je suis venu dans ce pays tenu par le gain, expulsé du mien par besoin. Je suis venu, nous sommes venus dans ce pays pour sauver notre peau, acheter le futur de nos enfants. Je suis arrivé, nous sommes arrivés par ballots avec, enfouie au fond des cœurs, une espérance grosse comme la mémoire.

(Abdou Traoré)

Quand nous sommes rentrés, mon papa était assis devant la télévision. Il nous a regardés, puis il a changé de chaîne. Je me suis assis à côté de lui.

— C'est vrai que les fachos vont nous chasser ? j'ai demandé à mon papa.

— Tais-toi !

Ensuite, il s'est concentré sur ce qui passait à l'écran. J'aime pas les nouvelles informatisées.

Mais le journal ne voulait pas s'arrêter. J'ai mis mes mains devant mes yeux pour pas voir. Là, il y a des gens qui montent un barrage dans une zone où ça va chasser les Indiens qui habitaient là depuis toujours. Ensuite, ils vont tourner un film sur ce type qui a assassiné plein de vieilles dames. Et c'est le même acteur qui joue le juge et l'assassin. Et vous savez ce qu'ils vont faire à ce député qui a volé plein d'argent ? Rien du tout !

Le mieux est encore d'attendre l'inspecteur Malcom qui passe après le journal télévisé. Il est tellement intelligent qu'il gagne toujours au finish.

Quand c'est fini, voilà que mon papa arrête la télévision. Même que j'ai pas vu l'inspecteur Malcom. Ensuite, il a roulé une noix de cola entre ses mains. Il a ôté la peau. Il a croqué dedans. Il a mâché, puis il a dit :

— Z'a du culot ce Le Pen, de vouloir nous faire croire que si c'est raté en France, c'est à cause de nous. Comme qui dirait, on est pas assez malins pour bien s'en sortir. Alors on est venus ici pique-niquer dans leurs assiettes. Ce type est vraiment un taré, un maladroit, et en plus, il est pas verni. Tiens que j' te raconte : moi j' suis un ancien combattant. Ce Le Pen n'était pas né que j' défendais la France. Dans les tranchées de l'Algérie, c'était. L'enfer, fiston ! Tu peux, oh, que non ! tu peux pas t'imaginer ! La chaleur, les moustiques, les maladies et les balles qui sifflaient. Et si j'étais mort, hein ? C'est pour qui selon toi, hein, dis ?

J'ai pas répondu. Mon papa a fait *pff… pff…* Ensuite, il a pincé ses lèvres, il a expulsé du jus de cola droit comme une flèche qui a rasé les rebords de la fenêtre et a atterri dans la cour : *floc-flac* !

— Pour la France ! Vive la France ! Vive les Français !

— Il est vraiment très méchant, Le Pen, papa ?

— Ouais ! Avec les nazis, faut s'attendre à tout ! Hé hé !

— C'est quoi, un nazi ?

— Un homme dangereux. Un fou furieux.

— Mais y a la police, papa. C'est plus fort que n'importe qui. Ils vont le mettre en prison.

— Compte pas là-dessus, fiston ! Les flics travaillent pour ceux qui paient. On s' dépatouille pour arriver à trouver de quoi payer nos impôts pour que ces gros lards se prélassent à l'Hôtel de Ville. Même pas une police recta ! A ce rythme-là, ça nous pousse, pauvres malheureux, à faire des choses désespérées et à se porter candidats aux élections.

Moi, je réfléchis et j' dis :

— Y a Mitterrand, papa, c'est ton ami.

Il répond pas. Alors j'insiste :

— Il t'a même donné ta carte de séjour.

— Ouais, il fait.

— Alors ?

Il fronce les sourcils et me regarde. Je garde le silence, ensuite j' dis :

— Tu pourrais lui écrire. Il est encore plus fort que n'importe qui. Alors, personne viendra nous chasser.

Dans ma tête, la lettre est déjà prête mais je peux pas la rédiger en français pour des raisons que vous connaissez. Elle pourrait être ainsi :

Monsieur le Président.

D'abord, je vous présente mes condoléances pour la concurrence illicite qui s'annonce à votre porte.

Permettez-moi de vous dire que vous avez tout mon soutien et qu'un seul signe de votre part, et je me lancerais fougueusement à l'assaut de l'ennemi, l'atteignant en plein milieu de son rassemblement. L'homme est assurément bien ingrat envers son Seigneur. Vous en êtes le témoin oculaire. Il est aussi fort attaché aux biens de ce monde. Ne sait-il donc pas que lorsque ce qui est dans les tombes sera bouleversé et qu'on aura établi le bilan de ce qui est dans les cœurs, que le Seigneur sera, ce jour-là, parfaitement renseigné sur eux ?

M. Le Pen, notre Ennemi mortel, prétend qu'il va nous chasser tous d'ici. Mais je sais que vous, le connaisseur de l'invisible tout comme du visible, à vous seul les attributs les plus beaux, vous ne le laisserez pas mener à bien son ignoble projet.

Mon père est un tirailleur ancien combattant de la France que vous connaissez sans doute puisque vous lui avez donné ses papiers à l'an 1981, lors de votre accession à la magistrature suprême. Mais au cas où vous ne vous en souviendriez pas, sachez que c'est un bonhomme grand avec des cheveux gris là où il y en a encore. Il est plus maigre que n'importe qui et quand il se regarde dans la glace, il ouvre des yeux comme s'il se voyait pas. Le samedi et le dimanche, il s'habille des pieds à la tête. Il met son costume croisé avec des décorations de

23

*guerre et va se tenir boulevard Ménilmontant.
Quand il n'est pas de service de poubelles, il fait
des exercices par terre pour s'augmenter mais il
s'augmente pas à cause des soucis quotidiens.
Tout ça pour vous dire qu'il n'est pas dérangeant
et bouffe rien du tout. Quant à ce qui est des
Juifs et des Arabes, je ne peux jurer de rien. Pour
les nègres, je peux vous assurer qu'ils n'ont rien,
mais rien du tout, exactement comme mon
papa. C'est pas de sa faute à M. Le Pen s'il
souffre de désinformation, car la division
sociale veut que chacun reste bien chez lui dans
son arrondissement sans intention de nuire. Je
vous propose donc d'organiser une commission
qui aurait pour but de recenser les nègres en
détresse, surtout ceux parqués dans les chambres de bonne sans ascenseur, et qui ne peuvent
signaler leur présence que par la bamboula. Il y
en a tellement dans l'illégalité administrative et
sans job que ça clouerait le bec au président du
Front national.*

*En espérant que vous donnerez une suite favo-
rable à ma requête, je vous prie de croire, Monsieur le Président, à l'expression de mes
sentiments distingués.*

Loukoum, votre tout dévoué.

Comme vous le savez déjà, je peux pas l'écrire
tout seul vu que le français a la fâcheuse manie
d'avoir des mots à rallonges. Alors, je regarde
mon papa dans le blanc des yeux et j' dis :
— Alors ?
— Quoi, Loukoum ?

— Tu lui écris, hein, dis, papa ?

Il me regarde, il croque une lune de noix de cola et il se tourne vers la cuisine :

— C'est permis de manger dans cette maison aujourd'hui ?

C'est le lendemain matin que la scène est arrivée. M'am me demande c' que je veux pour mon petit déjeuner.

— Qu'est-ce qu'y a, d'abord ?

— Du pain, des céréales, de la confiture, du beurre, du thé, du lait, du café.

— C'est tout ? Pas de bouillie, des beignets aux haricots, du maïs ?

Je me mets à rire. Son ventre fait *gloo-gloc* et elle dit :

— Excuse-moi.

Et je ris encore.

— Non, je dis. Je ne veux pas de toutes ces cochonneries. Donne-moi juste un bol de lait, s'il te plaît.

Elle discute pas. Elle porte sa robe de nuit blanche, vu qu'elle était de devoir matrimonial hier soir. Je trouve que ça fait joli, sa maigre main noire qui sort de la manche. Mais en même temps, M'am me fait peur avec ses veines toutes fines et les autres toutes gonflées. Il y a comme quelque chose qui me pousse vers elle. Pour un peu, je prendrais bien cette main-là pour réchauffer mes doigts glacés, mais je le fais pas parce que je suis un homme.

— J' peux m'asseoir à côté de toi pour boire mon thé ? elle me demande.

J' dis bien sûr, l'air que ça me gêne pas. Elle ouvre un magazine. On y voit plein de femmes blanches. Il y en a qui rient et qui font tourner leurs manteaux. Et d'autres qui chantent sur des capots de voiture. Y en a aussi qui se baladent sur des vélos et qui vous disent au revoir. M'am tourne les pages. Mais elle a l'air malheureux d'une gosse qu'a pas eu son jouet. Alors, elle referme son magazine et le jette au loin.

Elle boit son thé et attaque une tranche de gâteau aloko de sa fabrication. Quand elle le fait cuire, ça sent à des kilomètres à la ronde. Celui-là a parfumé la maison en un rien de temps. Elle étale de la confiture sur une tranche de pain. Elle croque dedans comme ça, elle me regarde l'air finaude et elle dit :

— T'en voudrais pas un peu, fiston ?

J'hésite une seconde, puis je dis non. Mais ça se voit que j'en crève d'envie. Elle hausse les épaules, et elle boit une bonne lampée de thé.

Quelqu'un l'appelle.

On lève les yeux en même temps. C'est la Soumana. Elle a un cure-dent qui la quitte pas. Elle le passe dans l'autre joue et elle demande :

— Je peux te parler ?

— Tout de suite ?

— Ça peut pas attendre.

— D'accord.

M'am se lève, remet sa chaise en place et la suit dans la cuisine.

Alors, je me jette sur le gâteau et je mange un petit bout de tout, juste ce qu'il faut pour qu'elle s'aperçoive pas. On dirait qu'une souris est passée par là. Je buvais tranquillement mon bol de lait quand j'ai entendu des cris!

— C'est de ta faute! Et maintenant il faut payer des cours particuliers à Loukoum... Ah non! Je me suis assez sacrifiée comme ça... Et par ta faute! Trop, c'est trop. Je peux pas accepter. D'ailleurs, où vas-tu trouver l'argent?

— Ma faute? c'est de t'avoir accueillie chez moi, ça, oui! Parce qu'Abdou, il t'a pas obligée à coucher avec lui!

— Si, c'est ta faute!

— Tu parles... Les enfants n'étaient pas nés. T'avais qu'à partir tout de suite...

Je lâche tout et je cours voir c' qui se passe. Je me cache juste derrière le rideau. Je sais que si elles me trouvent là, c'est sûr que je vais prendre une dérouillée pour avoir espionné. Je suis curieux de savoir c' qu'elles fabriquent à s'engueuler comme ça. La Soumana me tourne le dos.

— Je pouvais pas, qu'elle dit. Je pouvais pas m'en aller. Partir! Comme un chiffon qui sert plus à rien! Ma mère m'avait confiée à toi! T'as rien fait pour me défendre. Rien! Ça t'arrangeait que j'y passe parce que toi ça t'intéressait pas à l'époque. T'as rien fait même quand moi j' criais au secours, j'ai mal. Et quand j'étais grosse pour la première fois, t'as rien dit non plus. T'as fermé les yeux quand j'ai été grosse pour la deuxième fois. La troisième fois, tu m'as crié dessus tout le temps. T'as pas arrêté de me dire des injures. Le temps de mettre les plats et le repas était froid. Le temps de préparer le petit déjeuner et il était l'heure du repas. T'as rien dit d'autre. Rien. Aujourd'hui, t'as rien à me dire non plus. Rien du tout. Du tout.

28

M'am hausse les épaules et les laisse tomber. Elle soupire. Elle a l'air fatiguée et triste. Elle dit :

— Il n'est jamais trop tard, j' te chasse pas. Mais si tu veux vraiment partir... Personne il saura rien. Les enfants comprennent pas encore. Ça dépend de toi.

— Non, M'dame, jamais ! qu'elle crie la Soumana, l'air mauvais. Tu hais mes enfants... J' vois bien comment tu les reluques quand tu crois que personne te regarde... Et maintenant il faut que tu paies des cours à Loukoum... Avec quel argent, aux dépens de qui, je peux savoir ? De mes propres enfants.

— Loukoum est aussi ton fils.

— Il est le fils de personne ici, sauf de son père. Personne ici n'a eu de douleurs dans le ventre pour lui. Il est sorti du zizou de personne... Tu le sais aussi bien que moi.

— Pour moi, ça compte pas, qu'elle dit, M'am. Je l'ai eu tout petit alors qu'il suçait encore son pouce. C'est mon cadeau du ciel, vu que j'ai pas été grosse une seule fois.

— Raconte-toi des histoires si ça t' plaît. La vérité c'est que t'es comme Abdou, tout c' qui t'intéresse, c'est les allocs. Moi je mange pas de cette soupe-là !

C'est là que ça m'est tombé sur la tête. J' savais pas que M'am n'était pas ma maman. J'ai senti comme un fer qui me tordait les boyaux et j'ai saisi les rideaux, j'ai fermé les yeux et j'ai respiré fort, fort. J'avais mal, mal...

— Loukoum ! j'entends crier.

— Loukoum !

— C'est de ta faute !

— Ta faute !

— Ce sont MES enfants. Et si ça tourne au vinaigre, je les emmène avec moi.

Là, il y a eu un gros silence. M'am regarde la Soumana, l'air de pas comprendre ce qu'elle venait de dire. Puis elle dit d'un ton calme :

— Tu sembles oublier une chose, c'est qu'officiellement c'est moi la mère des enfants... Nous sommes en France ici.

— Dans ce cas, j'irai tout raconter.

— Oui, c'est ça ! Va... Allez... Va chanter où tu veux, Judas... Mais, j' te dis, moi, que tu t'en tireras pas comme ça... Parole ! Allah n'est pas aveugle. Même l'air pourra témoigner de comment j'ai vécu avec toi.

Je sais pas quoi faire, j'ai envie de pleurer, mais les larmes sont traîtres, elles sont jamais là quand on a besoin d'elles. Alors, je pars vers la fenêtre, je penche la tête et je regarde la rue. Il fait soleil. Il n'y a pas école. Je pense que c'est une bonne journée pour aller au jardin faire du toboggan. Mais j'ai pas envie, j'ai envie de rien, j' suis à mon plus mal.

— Loukoum, qu'elle fait M'am en essayant de me prendre dans ses bras.

Moi, j'ai reculé, j'avais envie de tuer quelqu'un, c'est pas moi, j'avais envie de faire quelque chose de pas correct.

— Loukoum, t'es mon fils, ça fait pas de différence.

— Non !

Je l'ai bousculée, j'ai couru, j'ai ouvert la porte et j'ai descendu les escaliers.

Dehors il faisait froid malgré le soleil. J'ai continué à courir et j'ai mis un bout de temps à comprendre qu'il faisait froid et que j'avais pas grand-chose sur le dos. Et je me suis retrouvé au café de Monsieur Guillaume.

Là, il y a Monsieur Laforêt. Monsieur Laforêt est un Français qui vient du seizième arrondissement. Il a été directeur mais depuis son licenciement, il a immigré à Belleville. Il a des yeux qui font du bien autour de lui et qui ont tout vu. Alors, je me suis assis en face de lui et j'ai regardé sa figure... Il a l'air triste et fatigué. Je remarque que son menton est tout rentré en dessous. Il en a presque pas. J'en ai plus que lui. Ses vêtements sont tout sales. Quand il se penche, il y a des odeurs. Il sourit et je demande :

— Monsieur Laforêt, pourquoi vous avez encore le sourire ?

— C'est l'habitude, Loukoum.

Il se tait et après il dit :

— Avant, quand j'étais jeune directeur, j'avais plein d'amis. Le soir, après le boulot, on allait au restaurant, on allait en boîte, on s'amusait comme des dingues. Quand j'ai perdu mon travail, ma femme m'a quitté, mes enfants sont partis, mes amis ont disparu. J'ai plus personne. Personne m'a défendu...

Il regarde le mur et je remarque que ses yeux se mouillent un peu.

Monsieur Guillaume s'est approché de nous. Il porte une salopette sur une chemise. Ses petits yeux noirs ont l'air de briller en nous regardant, mais avec quelque chose comme un phoque.

— Ça va, Loukoum ? demande Monsieur Guillaume.

— Ouais.

— T'as pas école aujourd'hui ?

— C'est mercredi...

— C'est vrai, quoi ! J' deviens vieux. Hé hé ! De mon temps, c'était le jeudi qu'on avait congé. C'était mon jour préféré quand j'étais jeune. J'ai jamais rien pigé à ce qu'elle racontait, M'dame Goodman. Elle disait que la terre était ronde, eh bien moi, je la trouve plate comme une crêpe.

Il rigole un coup, puis il tire de sa salopette un mouchoir jaune. Il en tombe une espèce de poudre noire. Il la regarde, l'air tout ahuri.

— Ben ça par exemple, il dit comme s'il se parlait à lui-même, comment est-ce que ce poivre a été se coller dans ma poche ? Hé ! j' me rappelle maintenant, j'en ai renversé en prenant mon petit déjeuner. Atchoum !

J'en reçois plein le nez et j'éternue. Puis c'est le tour de Monsieur Laforêt. Mais seulement lui a des yeux qui pleurent.

Monsieur Guillaume éternue encore un coup et dit :

— Ce foutu poivre, alors !

Il regarde Monsieur Laforêt, puis il demande :

— Je te sers un verre ?

Il va au comptoir et il revient avec un verre de vin qu'il pose devant Monsieur Laforêt. Il tire une chaise, s'assoit et allonge ses jambes.

— Tu sais pas, il dit, ça peut quand même faire un fameux remède, ce truc-là. Même si c'est pas d'un grand secours pour c' qui est de trouver un job, sûr et certain que ça vous empêche d'y penser.

32

Monsieur Laforêt tourne lentement la tête et dit sur un ton triste :

— Tu peux pas comprendre. Moi je l'aime, Caroline. Depuis toujours et pour toujours. J' peux pas l'oublier comme ça.

— Ben tiens donc, dit Monsieur Guillaume, pour foutre ta vie en l'air ! (Là, Monsieur Laforêt a grogné.) Elle a pas hésité à te lâcher à la première difficulté.

— Moi, ça m'est bien égal...

— Et son jeune amant qu'elle a maintenant. (Il hoche la tête comme s'il pensait à quelque chose de très sérieux.) Va savoir si les trois mômes sont bien à toi, mon vieux.

— Eh ben moi, j' vais te dire une chose, tous les enfants de Caroline sont à moi. J' peux le jurer !

Monsieur Guillaume se racle le gosier.

— Ecoute bien, si t'es décidé à rester un clochard et à te soûler la gueule parce qu'une femme t'a lâché, libre à toi !

— C'est pas Caroline qui m'a lâché, c'est la société.

— Ecoute, vieux, je suis de tout cœur avec toi. Il y a peu d'hommes qui continueraient à aimer leur femme dans ces conditions. Mais voilà, c'est arrivé, t'as qu'à te secouer un peu.

Monsieur Guillaume s'est levé, nos yeux se sont croisés. Il a toussé et il m'a dit :

— T'as qu'à monter, ton ami Alex est là-haut. Il est avec un nouveau copain. Va vite le rejoindre. C'est pas un endroit, ça, pour un môme.

J'ai pas hésité une seconde. J'avais ma part de problèmes et j'en avais plein la patate. J'allais

33

pas leur expliquer tout d'un coup que j'avais été immigré juste pour les allocations familiales. Alors, j'ai contourné le comptoir, et j'ai monté les escaliers quatre à quatre pour rejoindre mon copain Alex.

Non, l'ami, cesse de me décocher des paroles blessantes, de me soupeser comme trois kilos de soleil perdu. Ecoute et interprète. Porter un beau prénom donne de l'assurance dans la vie — Porter le même nom de famille que ceux qui sont morts depuis des lustres nous aide à donner un sens à la vie — Donner son nom de famille à ses descendants est la meilleure façon de braver sa propre mort. Je suis défait. Voudrais-tu me voir descendre plus bas, sans que l'air témoigne de ce qui a été ?

A la police des frontières, tu as immatriculé mon corps et tu l'as enrobé de mépris, de haine. Dans tes yeux grands ouverts, j'étais déjà suspecté de viol ou de meurtre. Un obsédé sexuel. Un amas de boue chargé d'obstruer les mémoires et de propager le sida.

Nous vivons à double monde, je le sais, tu le sais, comme on le dirait d'un double sens ou d'une double vie. Nous marchons en parallèle, acrobates sur la corde raide qui nous sépare, entre deux abîmes de réalités adverses. Le jour occulte la nuit. Et les nuits réveillent les silences du jour. A la fin, il faut pourtant que le jour l'emporte et que nous fassions la lumière.

Tu sais, la femme est ambiguë. Son vagin

35

superbe s'ouvre à nos chants et ses lèvres de soleil font monter les promesses du matin en ligne droite sur l'horizon. Elle est là, présente et précise sous les brumes, dessinant des rayons, indiquant les arbres sur la plaine. Puis, elle devient rose ébène et plus floue, aux premiers instants de soleil. Un tissu de rêve qui se déroule dans nos chambres et qui nous enroule dans l'étoffe rêche du mensonge.

(Abdou Traoré)

Je connais Alex depuis ma naissance. Nous sommes tous les deux dans la classe à Mademoiselle Garnier. Il est très turbulent et toutes les maîtresses le détestent. Mais c'est mon meilleur ami. Pour rien vous cacher, nous sommes frères de sang. Quand on avait cinq ans, on s'est piqué nos doigts avec une épingle et on s'est collé nos doigts l'un contre l'autre. Sauf que moi, à l'époque, j'avais une peur noire des aiguilles. Alors, je m'ai mis le doigt dans un tiroir, j'ai fermé les yeux et j'ai dit à Alex :

— Pousse !

Et il a poussé. Il y avait du sang. J'ai gardé le plâtre six semaines.

Pour vous dire la vraie vérité, Alex est de parents inconnus. C'est un petit Blanc de couleur de l'Assistance publique. Monsieur Guillaume l'a adopté et l'a élevé sans difficultés jusqu'à ce que son épouse, une grosse négresse, soit morte de quelque chose. Ils pouvaient pas faire de gosses. Monsieur Guillaume l'élève sans trop se poser de questions. Il sait même pas si Alexis est malien, camerounais ou sénégalais. Il tient beaucoup à ce qu'il voie du noir pour pas perdre son identité. Généralement, le vendredi soir après l'école, Alex vient à la maison et tout le monde est content de voir un petit Blanc nègre. Un genre de zèbre, quoi ! Mon papa, il dit toujours qu'à voir sa tête, il jurerait que c'est un enfant de Blanc avec une putain de négresse. Mon papa lui fait sa religion, car même s'il devait rester en France jusqu'à ce que mort s'ensuive, il faudrait lui rappeler qu'il a un pays quelque part, même s'il ne figure nulle part du point de vue originaire. Monsieur Guillaume ne laisse pas faire pour son plaisir. Il dit que pour lui, ça compte pas la couleur de la peau. Il dit que tous les hommes sont égaux, sauf les cons, et que si les Noirs se cassent la gueule, c'est justement parce qu'ils se croyent différents. Tout ça pour vous expliquer que Monsieur Guillaume respecte les croyances des autres. Quelquefois, Monsieur Guillaume rend visite à Monsieur Ousmanou, le marabout de la rue Bisson, pour résoudre son problème. Quand il revient, il a les yeux tout brillants. Quand on est triste, c'est les yeux. M'am dit que les yeux sont tristes, vu qu'ils cherchent la faute. Mais moi je peux vous jurer que je ne comprends rien mais rien du tout. Je suis tellement triste à cause que mes mères sont pas mes mamans que j'ai envie de mourir. Pourtant j'ai mes deux yeux, je vois clair comme vous, j'ai beau chercher ma faute, je ne la vois pas. Alors ! si vous pouvez m'expliquer, je suis à votre disposition...

Alex est bien plus calé que moi. Quelquefois, il m'explique des choses, mais j'ai du mal à me fourrer dans le crâne ce qu'il m'explique. Ça veut pas rester. Il raconte que les étoiles sont plus grosses que la lune. Je dis : « Ah, bon », comme si je le savais. Moi, les étoiles, je les trouve minuscules.

Je suis monté pour savoir comment il fallait faire quand tu apprends que tes mères ne sont pas tes mères.

Alex porte un pyjama bleu à rayures. Il m'ouvre la porte et grogne un peu, vu qu'il est content de me voir. Il y a un gosse qui pleure mais j' sais pas d'où ça vient.

Alex me regarde et il me dit :

— Viens, je vais te présenter quelqu'un.

Je le suis. Pendant qu'on marche, il me dit :

— Ça sera bientôt ton voisin parce que sa maman est de service chez Monsieur Kaba et qu'elle peut pas s'en occuper. Alors, c'est Madame Zola votre voisine qui va l'avoir comme pensionnaire.

Finalement, on arrive devant sa chambre et il ouvre la porte.

Il y a là un gamin à quatre pattes. Il pleure tout le temps. Il porte ses habits du dimanche avec une cravate et une chemise blanche.

— Je te présente Timothée, fait Alex.

Et moi je regarde. J'ose pas bouger.

— Approche, me dit Alex, il va pas te manger.

Je fais quelques pas. Alex sort et il me dit :

— Fais attention. Il mord.

Il a refermé la porte. Et je me retrouve seul avec Timothée qui mord. Il saute, il hurle, puis il s'arrête et me regarde avec un œil qui regarde par ici, l'autre par là. C'est drôle, ses yeux. Je suis tout retourné, alors je souris à l'anglaise, l'air de rien.

38

Soudain il se lève, il se met à courir autour de la chambre comme un Indien. Il s'arrête. Il se flanque derrière la porte. Il repart sans rien dire. Il se remet à quatre pattes. Il se relève. Il va à la penderie. Il sort des vêtements et les jette par terre. Il regarde autour de lui. Ses yeux tournebiscotent. Puis il écrase les vêtements avec ses pieds.

— Tu devrais pas, je lui dis.

Il répond rien.

— Tu dois pas salir le linge, je dis encore. Si t'arrêtes pas, Monsieur Guillaume va t'en foutre une.

Il fait *Brrrrr!* C'est du bruit comme l'orage. Il recule. Il se cogne contre la barrière du lit. Il se lève. Il se rassoit avec le dos contre la porte et il cogne sa tête contre le mur. Je vois un petit cercle chauve derrière son crâne. Tout à coup, il s'arrête. Il va s'asseoir derrière la porte. Il croise les bras. Il se tient comme un honnête citoyen.

— C'est bien, Timothée, je lui dis. T'es assis comme un enfant bien élevé.

Quelqu'un essaye d'ouvrir la porte. D'abord doucement. Puis avec une telle force qu'elle pousse Timothée qui se retrouve coincé derrière. Je le vois plus du tout. Monsieur Guillaume entre :

— Vous pouvez pas jouer sans faire de bruit? il demande.

J'ouvre la bouche. Je reste muet comme une carpe malienne. Il voit les vêtements par terre. Son visage devient tout rouge.

— Que signifie ce bordel?

Il s'approche, il m'attrape les oreilles. Il tire fort pour mon bien et il demande :

— C'est toi qui as fait ça ? et il ajoute : Décidément, on peut pas faire confiance à un nègre.

Là, il voit Timothée. Il me lâche. Il se soucie plus de moi. Il va vers Timothée. Il l'attrape par la main. Il essaie de le faire sortir de là. Timothée ne veut pas.

— Allez, sois gentil, il lui dit.

Timothée se baisse et lui mord la main. Monsieur Guillaume hurle :

— Espèce de sale garnement !

Il lui flanque une gifle. Timothée crie comme une sirène. Je vois que la main de Monsieur Guillaume saigne. Il quitte la chambre en grommelant :

— Je reviens.

Timothée ne pleure plus. Je m'approche de lui. Il me fait un drôle de regard. Je tends ma main. Il ne mord pas. Je le touche, il fait un bruit comme le tonnerre.

— Tanquille, il dit.

Ensuite, il lève les mains devant ses yeux. Il gigote ses doigts et il fait encore :

— Tanquille.

— D'abord, on dit tranquille et pas tanquille. Ensuite, tu dois pas t'asseoir par terre avec tes habits du dimanche, je lui dis.

Il me regarde. Il a des yeux marron avec des éclats gris dedans comme un Blanc de couleur.

— Comme c'est v'lai, il a grogné. Comme c'est loin.

— Ta maman vient dimanche ? Je lui demande.

Il ne répond pas. Je vois à ses yeux qu'il est tombé en consternation.

Monsieur Guillaume et Madame Zola sont

entrés. Seulement, Timothée ne fait plus de bêtises. Ils m'ont regardé et j'ai dit :

— Tout c' qu'il veut, c'est qu'on le laisse tranquille.

Ils m'ont pas répondu.

Madame Zola s'accroupit devant Timothée et elle dit :

— Sois gentil, Ti, aujourd'hui c'est dimanche, et si t'es pas sage, maman ne va pas t'emmener en promenade.

— C'est pas dimanche, que je dis. C'est mercredi aujourd'hui, Madame Zola.

Elle se tourne. Elle me regarde. Sauf qu'elle me regarde pas dans les yeux. Et je dis encore :

— C'est pas beau de mentir aux enfants.

Et ils ont emmené Timothée.

Alex m'a rejoint. Il m'a demandé si je voulais boire quelque chose. J'ai dit non.

— Tu veux pas un chewing-gum ? il a encore demandé.

— Non, j'ai dit.

— Quéque chose te tracasse ?

Alors là, moi, je lui ai tout expliqué.

— C'est dur, ça, il a dit en se tirant une chaise.

Et puis il a passé ses mains dans ses cheveux crépus, il a curé son nez et il s'est essuyé sur son pyjama.

— Ça fait longtemps que tu sais ?

— Non, j' viens de l'apprendre.

— Ben ça alors ! Qu'est-ce que tu vas faire ?

— J' sais pas. J' me demande quéquefois pourquoi c'est si compliqué la vie.

— Pour vivre, pardi, il a répondu. Y en a qui se la compliquent pour le plaisir.

— Tu vois pas d'autres raisons ?

— Ben, des fois y a des gens qui s'ennuient.

— Moi, j'ai pas demandé à naître.

— Personne, il demande ça.

— Alors ?

Là, il réfléchit en fronçant les sourcils.

— Tout c' que je peux te dire, c'est qu'en Afrique, il y a des tas de femmes qui font des mômes sans être mariées. Alors, elles voient pas d'autres moyens que de les abandonner.

— T'as p't-êt' raison. Alors, tu crois qu'elle viendra me chercher ?

— P't-êt' bien que oui, p't-êt' bien que non.

Il se tait un moment, puis il dit :

— Mais qu'est-ce que ça peut bien te foutre qu'elles soyent pas tes mères, hein ?

— C'est important, très important.

— Tout ça, c'est du snobisme. Elles t'aiment.

— Suis pas si sûr.

— T'as qu'à bien regarder comment elles font avec toi. Alors là, tu peux décider. Mais si jamais... J'ai des tas d'adresses au cas où.

Quand je suis redescendu au café, y avait du monde. Y en a des beaux habits. Et d'autres pas reluisants. Alors là, je vois Esther. Elle est habillée pareille qu'hier, sauf que c'est une petite culotte rouge avec des bottes assorties. Je dis bonjour. Elle est très aimable.

— Mais c'est le petit d'hier soir ! elle fait, étonnée. Comment ça va ?

— Bien, M'amzelle.

Elle se baisse vers moi. Elle me caresse les cheveux et elle dit :

— Que t'es mignon ! J'aimerais bien avoir un bambin comme toi.

— Oh, la ferme ! dit Monsieur Makossa.

— C'est vrai, quoi ! Tu sais nager ? elle me demande.

— Non, M'amzelle.

— Faudrait venir avec moi à la piscine. Je t'apprendrai.

— Hé, doucement ! crie Monsieur Makossa. Ce môme ne connaît rien. Faudrait pas lui apprendre le vice.

— Mais quelle mouche le pique ? elle demande en me regardant.

Là-dessus, elle m'embrasse le front et me dit :

— Rendez-vous ici, samedi à 10 heures.

Elle se met à danser, mais y a pas de musique. Elle bat des pieds et claque ses mains tout en se tortillant et en ondulant en cadence. Elle me tourne le dos, on voit bien qu'elle a rien sous sa petite culotte rouge. Monsieur Kaba continue à parler du péché et ne remarque rien. Monsieur Guillaume et Monsieur Laforêt guignent du coin de l'œil. Tout en dansant, elle se retourne vers moi, mais elle a l'air de pas me voir. Tout d'un coup, elle pivote et se retrouve de l'autre côté et on voit bien qu'elle fredonne l'air.

Elle a vraiment une jolie voix.

— Je peux vous accompagner à la piscine ? demande Monsieur Guillaume.

— Bas les pattes, vieux vicelard ! réplique-t-elle.

Elle se retourne encore une fois. Et tout d'un coup, elle se met à toucher ses mamelles, comme ça. Monsieur Laforêt a l'air de vraiment apprécier la danse. C'est beau ! Il est tellement penché en avant qu'il risque de tomber sur le nez d'un instant à l'autre. Il a des yeux comme des boules de pétanque qu'il se rend même pas compte qu'il boit pas son verre et que tout son vin dégouline sur la table. C'est là que Monsieur Kaba s'aperçoit de la tronche que font les mecs dans la salle. Il se retourne et voit la danse de M'amzelle Esther.

Il se lève d'un bond et renverse son verre. Ses yeux sont comme de la glace. Il claque un grand coup dans ses mains.

— Hé, Esther !

Elle sursaute et se retourne comme si elle venait de se réveiller.

Monsieur Kaba la regarde d'un air mauvais.

— Oh ! elle fait.

Ensuite, elle va doucement se rasseoir à côté de lui.

— Pauvre petite, dit Monsieur Guillaume. Ça se voit qu'elle sait danser. Elle aurait sûrement pu faire une grande danseuse.

Ça m'a fait un grand bien d'être invité à la piscine par M'amzelle Esther. Je l'aime bien. Ça se voit tout de suite que c'est quelqu'un de très gentil, qu'est pas toujours en train de vouloir vous tripoter comme certaines que je connais, alors j'ai de la peine pour elle, car sans mari, eh ben, une femme c'est rien du tout. Et je voudrais bien qu'elle fasse de la danse professionnelle.

A la maison, j'ai tout de suite dit aux femmes que j'étais invité le samedi à la piscine. Elles ont tiré une de ces gueules ! Mais elles n'ont rien dit pour pas me contrarier, vu que je l'étais déjà assez. Toute la journée, j'ai refusé de manger parce que je pouvais rien avaler.

— Je t'ai préparé une crêpe aux marrons, qu'elle me dit, M'am.

— J' veux pas.

— T'es malade ?

— Non.

— Qu'est-ce que t'as ? elle me demande en me prenant la main.

— Lâche-moi, je lui dis. Qu'est-ce qui te prend donc ? Ça va pas ? J'ai pas besoin d'une mère, moi !

Elle m'entoure de ses bras qui sont doux et d'un beau noir luisant sous la lampe.

Je commence à pleurer. Et je pleure, et je pleure et je peux plus m'arrêter. Tout ça me vient d'un seul coup. Comment ça m'a fait mal quand j'ai entendu. Aussi comment ça m'a brûlé pendant que je courais dans la rue. Comment j'ose plus les regarder en face après ça.

— Pleure pas, mon petit. Là, doucement… Pleure pas.

Et elle se met à m'embrasser les larmes qui me coulent sur la figure. Au bout d'un moment, je lui demande :

— Oùsqu'elle est, ma maman ?

— J' sais pas. P't-êt' bien qu'elle est morte. Tout c' que je sais, c'est que ton père t'a ramené. T'étais si beau ! Si mignon ! Tout noiraud et luisant comme le charbon. Je t' jure !

Elle a souri.

— Tu sais, Loukoum, je t'aime.

Elle m'embrasse la bouche.

— Mmmm, qu'elle fait comme à une bonne surprise.

Et elle dit :

— Pourquoi il faut toujours que les gens mangent ?

— Ben, parce qu'ils ont faim, je réponds.

Elle secoue la tête comme si elle n'y croyait pas et elle dit :

— P't-êt'.

Elle se lève et va préparer le dîner.

Mon papa est revenu du service. Il a dit bonjour à personne, il s'est assis. Il a croqué une noix de cola. Il a mâché. Il a craché au loin, *floc-flac*. Il s'est tourné vers les femmes. Il a dit :

— Faut laver ci et repasser ça. Trouve-moi ci, va me chercher ça.

Il râle qu'il manque un bouton à la chemise qu'il a mise ce matin. Les femmes, elles n'arrêtent pas de repasser, de lui repriser ses chaussettes, de trouver son mouchoir.

— Mais qu'est-ce qu'y a ? M'am lui demande à la fin.

— Comme quoi ? Qu'est-ce que tu veux qu'il se passe ? il demande d'un ton de colère. J' veux pas avoir l'air d'un clochard, voilà c' qu'y a. Une autre épouse que toi s'en plaindrait pas.

— J'en suis heureuse, elle lui dit.

— De quoi donc ?

— Que tu sois bien habillé. Je suis fière.

— C'est vrai que tu me trouves bien ?

— Comme si tu le savais pas, coquin !

Puis il est parti se laver. Il s'est rasé de près. Il s'est parfumé et il est sorti.

— Y a sûrement une nouvelle, qu'elle dit Soumana.

— Ouais, qu'elle dit M'am.

— T'es au courant ?

— J'ai ma petite idée là-dessus.

Dans l'ombre de mes angoisses, j'enlace d'infinis regards.

Je me heurte aux mépris de mes rêves, de nos rêves.

Je cherche mon visage dans cet ailleurs qui m'expulse et me vomit.

Et de souvenirs en avenirs, je souille mes pas.

Espoirs brisés.

Oui, je viens de loin.

J'ai immigré. J'ai franchi des frontières. J'ai laissé des empreintes digitales et à chaque fois, un lambeau de chair, un peu de mon âme. Oui, toi l'ami, toi qui me rencontres chaque matin et croises tes mots quotidiens avec mes syllabes creuses — toi qui détournes la tête quand mes yeux te fixent et viennent poser mille petites questions sur ton front — toi qui regardes ailleurs quand mes lèvres s'entrouvrent sur des mots dont l'étrangeté défait ta lassitude et t'emplit de mille cristaux — toi là-bas que rien ne semble atteindre — c'est pour toi aussi, toi qui par ton silence m'annules et me tapes dessus quand l'envie te prend, écoute :

Je suis venu dans ton pays sauver ma mort car seuls les morts peuvent sauver leur peau. Ton pays, je ne le connaissais pas mais je le portais sur le bout du cœur. Je suis venu travailler et j'ai laissé mon corps, mon sang, un morceau de mes légendes. Car le travail dévore la vie. Mon pays, tes aïeux le connaissent bien. Ils ont arraché ses fleurs, déboisé ses forêts, creusé ses terres pour le dépouiller de l'or rouge de la vie. Je ne leur en veux pas, car je n'ai plus de corps, je n'ai plus de rancune. Je suis perdu. Etiolé. Laisse-moi, pour une fois — renonce à l'esprit de conquête, de domination, de jouissance. Une seule fois. Enlève ta toge pourpre, garde tes mains nues et écoute, la bouche scellée :

Je suis un homme et Dieu m'a créé à son image. Et si lui, le tout-puissant, a procédé aux partages des eaux, à la division de son peuple en douze tribus pour garantir sa pérennité, moi son fils, fidèle à sa volonté, fidèle à son esprit, j'assure ma descendance en misant sur plusieurs femmes, pour être certain qu'à la fin des temps, quand sonnera l'heure de la mort, j'aurai un descendant.

Là, s'explique la nécessité pour tout homme d'être polygame.

(Abdou Traoré)

Le lendemain, Mademoiselle Garnier a dit :

— Mes enfants, nous allons faire quelque chose de spécial. Le monde est divisé en pays développés et en pays en voie de développement. Les pays industrialisés doivent aider les pays les plus pauvres.

Les élèves chahutent. Mademoiselle Garnier claque dans ses mains :

— Silence !

Et elle a continué :

— Je fais appel à votre générosité, à votre courage, à votre sens de la solidarité. Je vais désigner quelques-uns d'entre vous. Les trois premiers que je vais nommer vont se mettre à ma droite. Les trois derniers vont se mettre là sur ma gauche.

Elle a dit des noms. Moi, j'étais sur sa gauche.

Elle a expliqué :

— Quand on débute l'école, tout le monde n'est pas forcément du même niveau, du fait de la culture, de la religion, des différences sociales. Alors, je vais demander à ceux qui sont à ma droite d'aider au mieux ceux qui sont à ma gauche. Pierre Pelletier, veux-tu bien apprendre à notre ami Mamadou Traoré à lire ?

— Oui, M'amzelle, il a dit.

Alors là, quelqu'un a parlé :

— Je rentre chez moi, hein, Mademoiselle Garnier.

C'est une fille. Une brune avec un gros nœud rose dans ses cheveux. Elle se tient droite comme une bonne écolière, les mains dans le dos.

Mademoiselle Garnier dit :

— Lolita, veux-tu me faire le plaisir de t'asseoir !

— Non, dit Lolita. Je rentre chez moi.

Et elle commence à marcher.

Mademoiselle Garnier est fâchée. Elle crie :

— Lolita, va t'asseoir immédiatement !

Lolita continue de marcher. Elle va devant Mademoiselle Garnier et elle lui parle très doucement :

— Mademoiselle, s'il faut que les plus favorisés aident les pauvres, alors moi, je rentre chez

50

moi, parce que ma maman a une association d'aide aux pays pauvres. C'est là que je vais.

Mademoiselle Garnier ne dit plus un mot. Lolita lève les yeux, plisse le front et la regarde comme si elle avait des tracas. Ses yeux semblent avoir vu des choses. Mais la robe de Lolita est bleue et très douce. Ça se voit qu'elle est douce rien qu'à la regarder. Mon cœur le sent. Mais je peux pas vraiment être sûr.

— Ce n'est pas la même chose, qu'elle fait Mademoiselle Garnier. C'est une aide ponctuelle. D'ici la fin de l'année, ça sera fini. Toi, va t'asseoir, et tâche d'apprendre tes leçons.

Pierre Pelletier a des cheveux blonds un peu rouges. Il est toujours habillé comme on croit rêver, avec des vêtements luxueux, le genre de vêtements qu'on trouve pas boulevard de Belleville. Sa peau est comme du lait transparent et lisse. Il a un visage de petit Français de l'époque des princes, avec ses cheveux tout bouclés... Et un caractère en or. Avant de commencer son premier cours d'écriture, il me regarde. Je suis gêné. Je suis habillé comme un minable. J'ai un bonnet debout sur l'arrière, vu que j'ai trop de cheveux. Je porte un pantalon qui m'arrive aux mollets. Quand on grandit, on n'a pas le temps.

— T'es d'où, toi, en Afrique ? il me demande.

— Mali, je fais.

— C'est comment au Mali ?

— J' sais pas.

— Tu connais pas ton pays ? Là il ricane et il dit : C'est le bouquet !

— J'étais trop petit.

— Ah ! il fait. Quand je serai grand, je serai

51

navigateur, je voyagerai partout. Je ferai comme Colomb.

— C'est qui ça, Colomb ?

Il m'explique que c'est celui qui a découvert l'Amérique. Il est allé là-bas avec des grands bateaux qu'on appelle cars à voiles avec des noms différents que j'ai pas très bien compris. Et aussi que les Indiens ont été si gentils avec lui qu'il en a ramené dans son pays pour servir la reine.

C'est dur d'apprendre tout ça. Mais je suis content, content… Et triste aussi. Alors je lui dis :

— Moi, j'aimerais bien aussi.

— Quoi ?

— Devenir navigateur.

— C'est possible, tu sais.

— Moi j' crois pas. Les nègres sont pas intelligents.

— Tout le monde est intelligent, Mamadou. C'est Mademoiselle Garnier qui l'a dit, et c'est la maîtresse.

Pierre Pelletier adore Mademoiselle Garnier. Y en a pas une autre comme elle au monde.

ideas such as this must have come from parents.

Le samedi matin, je me suis levé très tôt, vu que j'étais invité à la piscine. J'ai pas voulu manger. M'am avait fait des omelettes et je déteste ça. Mon papa m'a demandé :

— Avec qui tu vas à la piscine, Loukoum ?

— Avec M'amzelle Esther. Elle m'a invité.

— Sais pas qui c'est.

— C'est la nouvelle à mon oncle Kaba, j'ai dit.

Il m'a regardé avec les yeux comme des boules de nfoufou. Il s'est levé brusquement, tellement fort que la chaise est partie à la renverse. Il a mis son manteau et il a dit :

— J' peux pas te confier à une inconnue. Faut me montrer qui c'est.

— Ouais, qu'elle a fait M'am d'un air bizarre. Mais il l'écoute pas. Les hommes n'écoutent jamais les femmes, alors...

Il va aux toilettes faire pipi.

Les deux femmes se regardent.

— Ça va aller ? M'am demande à Soumana.

— Ben, je sais pas comment je vais faire pour pas le tuer.

— Faut tuer personne, Soumana, jamais tuer. Il va partir comme d'habitude et il va revenir.

Faut pas qu'il te voie comme je te vois. Tu comprends ?

— C'est vraiment dur, M'am, très dur.

— C'est dur d'être le prophète aussi, mais il y arrive, lui. N'oublie pas ça, Soumana : Tu ne tueras point, il a dit. Probable qu'il aurait voulu dire plus. Il savait bien à quelles bandes d'idiots il avait affaire.

— Ouais, mais Abdou n'est pas le prophète, et nous non plus.

— T'es une femme, tu as tout l'avenir devant toi. Faut pas te laisser aller.

On entend le pipi qui coule à grand fracas.

— J' crois que j' me sentirai mieux si je le tue, Soumana dit. Parce que là je suis pas du tout dans mon assiette.

— Ecoute donc, faut pas. Personne se porte mieux quand il commet un crime. On sent quelque chose. Mais très vite ça passe.

— C'est mieux que rien.

— Soumana, qu'est-ce que tu dirais si t'étais à ma place ?

Soumana reste plantée là comme si elle lui avait coupé le sifflet. Elle a l'air moins remontée. Mais elle est triste.

— J'aime Abdou, tu sais. Je l' jure devant Dieu. Mais quéquefois, j'ai envie de l'étendre raide mort.

Elle souffle un peu et dit encore :

— Au fond, je te plains.

— Je sais bien pourquoi, elle répond, M'am.

— Ben j' vais te dire, tu me fais penser à ma mère. Toujours à la botte de mon père. Inch Allah à tout c' qu'il dit. Et elle lui répond jamais. Elle se défend jamais. Des fois elle prend le parti des gosses, mais ça lui retombe toujours dessus. Plus elle nous défend, plus il lui en fait voir. Il déteste les mômes qu'on croirait même pas qu'il en a une tonne.

Moi, je savais rien sur la famille de mes mères, alors...

— Il a eu combien de gosses ? elle demande, M'am.

— P't-êt' bien soixante.

— Et comment elles vivent, les femmes, j' veux dire, comment elles font entre elles pour le supporter ?

— Elles travaillent, voilà tout. Moi, je pensais qu'il fallait lui fendre le crâne, à ce démon. J' savais pas que moi aussi, j'allais vivre cette vie de chien. J' me demande bien comment tu fais pour lui passer tant de choses.

— Heu... Quand il me prend des colères contre Abdou, j' me fâche pas. Dans le Coran c'est marqué : Tu honoreras ton mari, quoi qu'il arrive. Y a eu des moments où quand la colère me prenait, j'avais l'estomac tout retourné. Envie de vomir, tu vois. C'est moche. Et puis après, j'ai plus rien senti.

— Rien du tout ? demande Soumana en fronçant ses sourcils.

— Bah ! C'est tellement au fond que ça remonte plus... Sauf les *gloo-gloc*, bien sûr !

Elles éclatent de rire. On entend la chasse d'eau sur le palier.

— Et si je t'apprenais le point de croix ? M'am demande.

Et elles courent vite chercher le matériel.

La fortune! Quelle farce.
J'ai attendu la guérison promise,
J'ai touché du cœur l'indicible,
Mon âme s'est brisée à en hurler et je pleure les
heures écartelées.
Alors me diras-tu, pourquoi? Pourquoi la
femme, les femmes, pourquoi je suis là sur cette
terre, cet horizon fragile des songes blottis? Ne
demande plus, ne demande pas. L'exil a vidé ma
mémoire et admire sa noyade. Mais il y a la
femme. Elle est là, immense, inaccessible, présente
et si lointaine. Elle entre, océan et flamme, posant
ses lèvres en mon âme évanouie. Elle pousse cette
porte-là, dans le côté gauche de ma poitrine. J'y ai
déposé quelques diamants aux temps de la saison
d'Afrique et j'ai perdu les clefs.
Elle dépose ses vêtements sur les doigts des
étoiles. Son corps se penche, elle me prend la
main. «Tu es la perle, la perle humaine. Qui
t'envoie? Dieu ou le diable? Non, ne me réponds
pas. Laisse-moi faire. Laisse-moi renforcer cette
tour que tu voulais construire et que l'exil crucifie
— Et ce petit nid? Tu voulais l'ériger? Ne dis rien.
Je le lis dans ton corps. N'aie plus peur. J'érigerai
pour toi le nid des rivages de tes rêves.»

J'ai un sanglot lourd au bord de l'œil. Je m'accroche à son sein, à son ventre, à la toison tiède de son sexe comme à un nouveau pays, à une aube nouvelle. Et ces images réinventent pour moi, dans une farandole mystique, les légendes d'antan.

L'exil fait une trêve.

(Abdou Traoré)

Nous sommes arrivés au café. Il y a plein de monde qu'on croirait pas ses yeux. Mon papa dit bonjour à Monsieur Kaba. Monsieur Kaba demande :

— Alors, mon cher Abdou, qu'est-ce que tu racontes de beau ?

— Oh, pas grand-chose. Tout le monde se porte bien, inch Allah.

— Et notre épouse ?

— Ça va, ça va.

— J'imagine qu'elle peut pas aller se promener, à c' que je vois. Toujours au travail. Ça serait bien si mes femmes suivaient son exemple. Ça me ferait des économies.

Monsieur Kaba parle toujours d'argent, comme s'il avait des poches vides. Mais il en a tellement qu'il sait plus quoi en faire... C'est mon papa qui est le plus pauvre de l'assistance, hormis Monsieur Laforêt, bien sûr !

— Alors, où est-ce qu'elle est ? Où est la plus belle ? il demande mon papa. J'ai quelque chose pour elle.

Il sort de sa poche une plaquette de chocolat et il la pose sur la table.

— Aux toilettes, répond Monsieur Kaba. Elle a tellement bourlingué cette nuit...

— Et toi, qu'est-ce que tu deviens, Guillaume ? demande mon papa.

Et il mord dans une noix de cola à pleines dents. Ensuite il mâche en faisant beaucoup de bruit. Puis il continue :

— Paraît que Esther veut emmener le petit à la piscine.

— Ouais, fait Monsieur Guillaume. Ce gamin est un sacré tombeur.

Mon papa caresse son crâne chauve.

— Un sacré morceau, cette femme !

— Ruineux, tout de même, ce genre de nana ! dit Monsieur Guillaume.

Je vois mon papa qui sursaute tout à coup et qui fait :

— Esther !

Oui, c'est M'amzelle Esther. Elle porte un collant noir avec un body sous son manteau. Avec ses cheveux partagés en deux tresses, on dirait une gamine. Mon papa la regarde. Ses yeux lui mangent la figure.

— Tiens, tiens, en voilà une surprise ! elle dit.

Tout le monde la regarde. Quand elle arrive à notre niveau, Monsieur Kaba tire une chaise. Mais elle s'assied pas. Elle ramasse la plaquette de chocolat.

— Que de gâteries ! T'en veux un bout ? elle me demande.

Je dis non. Alors elle fait la moue comme une petite fille, et elle mord dedans, han !

— C'est délicieux. Mais faudrait que je fasse attention aux kilos.

— T'es parfaite, dit mon papa.

— Tout c' que je fais, tu trouves ça parfait. Mais c'est que t'as pas beaucoup de jugeote.

Elle se met à rire. Mon papa baisse le nez.

Pour commencer, on passe les vestiaires. Il y a des casiers métalliques. Des enfants courent dans tous les sens. Ils crient. Ils se battent. Ça me fout les chocottes. Pas les gamins, bien sûr, mais la piscine.

J'ai pas de maillot. J'ai gardé ma culotte. Elle est toute noire avec une petite crotte au fond parce que j'essuie pas bien mon derrière. M'amzelle Esther a enlevé son manteau. Elle est mince comme un morceau de planche avec sa taille comme mon poing. Elle a des seins comme j'en ai jamais vu avec des pointes roses. J'ai jamais rien vu de plus joli.

Tout d'un coup, elle s'arrête pile en voyant c' que je regarde, et elle me fait des gros yeux.

— Qu'est-ce qu'y a? elle me demande. Tu serais pas un nain par hasard? Quel âge tu as?

— Dix ans.

— Oh, malheur! Ces nègres alors!

Mais moi, je continue à lorgner.

— T'as jamais vu une femme nue? elle demande.

— Non, M'amzelle. Jamais. Sauf Soumana. Mais elle est plutôt du genre rembourré, costaud... C'est comme une mère pour moi.

— Alors, rince-toi l'œil.

Et elle a le culot de mettre ses mains sur ses hanches, comme ça, presque sans rien sur le dos, et de battre des cils rien que pour moi. Elle roule les yeux au ciel et moi je sens mes mains qui tremblent et mon cœur battre. Tout à coup, elle me jette un drôle de regard.

— Ça suffit !

— Très bien, M'amzelle, je réponds.

Nous sommes allés aux douches. C'est une grande salle très chaude. Il y a des enfants que je ne connais pas. Certains sont accompagnés. D'autres sont seuls. L'eau est chaude et le jet est tellement fort que ça pique.

Ensuite, nous avons traversé l'entrée pour aller à la piscine. Il fait froid. Le sol est glissant et j'ai manqué partir à la renverse. M'amzelle Esther a ri. Et puis elle m'a pris la main et nous sommes entrés dans la piscine. Elle m'a mis une bouée. C'est marrant. Si j'avais pas si peur, je crois bien que je rirais.

— Vous croyez que j'aurai pied là au bord ? je lui demande. C'est que je sais pas nager.

— Oh ! il n'y a pas de danger. De toute façon, je suis là.

Finalement, on entre dans l'eau tous les deux, tout doucement, pour voir si c'est profond. Comme elle n'a pas apporté de bonnet de bain, elle relève les cheveux et se les fixe sur la tête avec une épingle. Elle traverse la piscine aller et retour pour me montrer comment on fait avec ses bras et ses jambes. Après quoi, elle me tient sur le ventre à plat sur l'eau pour que je m'exerce.

Au bout d'un petit moment, je commence à prendre le coup. Je fais bien quelques petits mètres avant de couler quand elle me lâche. Je hurle. J'ai peur.

— L'important, c'est de pas avoir peur, elle me dit. L'eau ne te fera pas de mal.

60

Ensuite, elle refait plusieurs aller et retour. Pour son plaisir. Moi, j'ose pas bouger. Y a plusieurs enfants dans l'eau. Ils sautent, ils font des éclaboussures et ils crient sans arrêt.

Enfin on sort de l'eau et on retourne au vestiaire. Elle secoue ses cheveux pour les faire sécher. Ils sont maintenant comme du maïs pilé et collent sur son cou et son visage. Elle est rudement jolie.

— T'as aimé ? elle me demande.

— Ouais, je dis.

— Tant mieux, il faut savoir prendre la vie du bon côté.

— Ouais. C'est drôlement gentil à vous de m'apprendre à nager. Mon papa m'a toujours dit qu'un jour il m'emmènera à la piscine, mais il n'a jamais le temps. Vous pensez qu'on pourra revenir ?

— Bien sûr ! Pourquoi pas ? Avec tous ces mecs qui te foutent leur truc, faire un peu d'exercice et s'aérer ne me fait pas de mal.

J'ai pas très bien compris c' qu'elle voulait dire, mais de toute façon, ça change pas grand-chose, vu que je la trouve épatante, et si on a la chance d'avoir une fille de cette trempe pour vous apprendre à nager, c'est toujours ça de gagné.

— On y va ? elle demande.

Nous avons mangé une pizza dans une brasserie. M'amzelle Esther a un appétit d'oiseau. Alors j'ai mangé nos deux parts et j'ai arrosé avec un Fanta.

Ensuite, nous sommes allés au parc des Buttes-Chaumont. Il faisait un peu frisquet comme c'est toujours le cas à l'approche de Noël. Dès qu'on est entrés dans le parc, ça m'a frappé que c'était pas pareil qu'ailleurs. Tout était bien vert. Il y avait bien sûr quelques feuilles mortes par terre. Mais ici, c'était tout autre. Comme si la terre donnait mieux qu'ailleurs. Après, tout le long du chemin, il y avait des fleurs qui sentaient comme le thé à la menthe. Et puis on entendait des tas d'oiseaux qui gazouillaient à tue-tête partout sur les arbres. Des pigeons qui s'envolaient à tire-d'aile quand nous nous approchions. Tout ça si différent de par où on était passés que ça m'a coupé le souffle. Même le soleil, vous ne me croirez pas, mais on dirait que c'est là son berceau.

— C'est si joli ! Je savais pas qu'il y a des coins comme ça à Paris.

— C'est vrai que c'est chouette, elle dit au moment où on monte sur une passerelle et qu'on débouche devant une auberge avec un toit incliné, des bordures roses et blanches, on dirait un chalet.

C'est tellement beau qu'on s'arrête pour regarder. Plus loin il y a une cascade d'eau et de là où nous sommes, on croirait des larmes de soleil.

— C'est quoi tous ces arbres ? je demande.

— J' sais pas. Des saules, des pins, des pruniers. En tout cas c'est bien beau.

Tout autour de l'auberge, rien que des arbres mauves, verts, jaunes, plein partout. Et tous les pigeons de Paris qui s'en donnent à cœur joie.

— Quel calme ! je fais.

— Normal. C'est samedi, la plupart des gens vont faire des courses.

Juste comme elle dit ça, je sens mon œil accroché par un chapeau qu'il reconnaît. Et on entend :

— Me voilà !

C'est mon papa. Fringué à mort. Veste rose. Chemise blanche. Grand chapeau beige. Et pardessus beige posé au-dessus, négligemment. Il rit. Il vient vers nous.

— Salut ! il fait.

— Salut ! répond M'amzelle Esther.

Mais à sa voix je sens qu'il n'est pas comme elle s'attendait. Elle est pas la seule. Moi je me demande bien où il a trouvé l'argent pour s'habiller de luxe.

— Je m' suis pas fait attendre ?

— Quelle élégance !

Elle n'en revient pas, ça se voit, et moi non plus. Mon papa a l'air d'un jeune homme. Bien sûr il fait plus vieux que bien des mecs que je connais mais il a pas la tête de quelqu'un qui a deux femmes, quatre gosses et un travail à l'hygiène de Paris. Et j' le regarde avec des yeux bouleversés d'étonnement. Il m'a pas remarqué et probable qu'il me verrait pas même en regardant bien.

— On s'est bien amusés à la piscine, fait Esther. Loukoum est très doué.

— Ouais. Vous voulez boire quéque chose? il demande.

— J'ai pas soif, elle répond.

Ensuite, on s'est mis à marcher.

Voilà que mon papa fait ami-amie avec M'amzelle Esther. Ils marchent en se tenant par la main.

— T'as une bien jolie culotte. Superbe. Et des cuisses...

— Merci.

— Et tes bottes vont bien avec.

— Merci.

— Et tes dents, c'est un régal pour les yeux.

— Merci.

Ensuite, elle éclate de rire. M'amzelle Esther rigole à n'importe quoi qu'il dit, en montrant toutes ses dents. Elle montre aussi pas mal ses nichons.

C'est vrai que les oiseaux chantent toujours comme quand nous sommes arrivés. Mais j' les entends plus. Je tâche de faire le gosse bien élevé. C'est dur. Quand j'entends M'amzelle Esther rire comme ça, j'ai envie de l'étrangler et de foutre ma main dans la gueule de mon papa. Et je peux pas non plus parce que c'est mon père. Dans le Coran c'est marqué: «Tu honoreras ton père et ta mère quoi qu'il arrive.»

— Il faut que je vous quitte, dit mon papa. Je suis de service ce soir.

Il lui serre gentiment les bras. Il se penche pour l'embrasser sur la joue. Elle tourne la tête pour le regarder monter l'allée. Ensuite, elle se tourne vers moi. D'abord elle a souri. Puis elle a froncé les sourcils. Et maintenant, c'est comme si elle n'avait plus d'expression. Elle me prend dans ses bras et me refait les mêmes compliments que mon papa lui a faits quelques instants plus tôt : tes yeux, tes cheveux, ta peau...

— J' me demande bien comment elles peuvent le supporter, elle dit.

— Et vous, M'amzelle ? Comment vous faites ?

— Oh ! moi ?

Là, elle éclate de rire. Puis elle dit :

— Comme partie de rigolade, y a pas mieux.

Il faisait déjà nuit quand nous sommes revenus au café. Il y avait plus grand monde, sauf Monsieur Guillaume, Monsieur Kaba et quelques personnes que je connaissais pas. Alors je suis rentré à la maison. M'am et Soumana étaient dans la cuisine. Soumana coupait les alokos en tranches et M'am les faisait frire. J'en ai pris quelques-uns pour goûter et Soumana m'a demandé si on avait été nager. J'ai répondu que oui et je leur ai raconté que M'amzelle Esther avait des seins du tonnerre et qu'on avait été se promener au jardin avec mon papa. Elles se sont regardées toutes les deux et Soumana a fait un faux mouvement et s'est coupé le doigt.

— Non mais..., fait Soumana.

— Ça alors, qu'elle dit M'am. Tu t'imagines ?

— C'est c' que j'étais en train de faire justement.

Là-dessus, elle file se panser le doigt.

Quand elle est revenue, M'am avait fini de cuire les alokos et elles en ont mis sur la table.

— J'ai pas faim, dit la Soumana.

— Tu ferais mieux de manger un bout, fait M'am.

— Pas tant que...

Là, elle fronce les sourcils et réfléchit. Puis elle demande :

— Pourquoi qu'il permet les choses comme ça, le bon Dieu ?

— Pour lui, tout est pareil, au fond, réplique M'am.

— Le salaud !

— J' sais pas. J' le connais pas.

— J' sais que c'est un homme. Si un jour, il m'arrive de le croiser en route, il a intérêt à mettre une robe, menace Soumana.

— Qu'est-ce qui te choque le plus, je te le demande. Qu'il permette tout ? Qu'il foute tout dans le même sac, l'amour, la haine, la baise, les mômes ? S'il laisse les choses comme ça, m'est avis que c'est parce que ça lui fait bien plaisir.

— C'est vrai ?

— Ouais. Si ça peut te rassurer, Abdou avait une autre femme du temps qu'on se fréquentait. Il disparaissait des jours et des nuits. Un jour, il est revenu, il m'a pris comme ça sur ses genoux et il a dit : Pardonne-moi.

— J' te crois pas.

— Puisque j' te l' dis. C'était un joyeux luron à l'époque. Pas comme maintenant. Il pouvait pas voir un jupon sans disparaître. Un vrai lapin. Tu saisis ?

— Ouais. Mais j'accepte pas.

— Faudrait bien pourtant.

— Non. Il va choisir entre elle et moi.

M'am secoue tristement la tête.

— Soumana, c'est un choix pénible que tu vas le pousser à faire. Tu vas nous manquer, tu sais.

— Il oserait pas.

— Si. P't-êt' bien que nous sommes trop vieilles pour lui.

— Non ! Non et non ! hurle Soumana.

Ma petite sœur Fatima se réveille en pleurant. Elle est toute ronde et taquine comme pas une. Et toujours à mâchouiller tout c' qu'elle trouve.

— Pourquoi que tu cries comme ça, maman ? elle demande.

— Parce que le bon Dieu est sourd.

Ça lui dit rien du tout, à Fatima. Elle la tire par le pan de son boubou et demande si c'est permis de prendre un bonbon sur le buffet. Soumana dit que oui.

— Voilà tout ton cadeau, qu'elle lui dit M'am en montrant du doigt Fatima.

Un pays au corps écorché. Le mien.

Je suis le désespoir d'un peuple pauvre, démuni, oublié des Dieux, banni des hommes.

Les vieux s'accrochent aux bouts de terre asséchée.

Les vieilles prient.

Les jeunes y croient.

Ils disent révolution. Ils ont les mains nues. Ils n'ont pas d'armes.

Ils veulent la mort.

Ils l'interpellent.

Pourquoi veux-tu mourir?

«J'ai péché. Je dois être puni.»

Punir? Mais qui punir? Et de quoi? D'être libre d'aimer la cola amère, le vin de palme et la femme amoureuse, de préférer le jour à la nuit, les étoiles aux disciplines, aux macérations de la tristesse.

Je viens d'un pays planté de forêts, de soleil et d'argile. Mes parents y vivaient. Les hommes sont venus. Les arbres ont disparu. Corps fermés sur des blessures. Jamais nommées. Vaincu, l'orgueil s'est courbé. Ma mémoire s'est vidée. Qui suis-je? Poussière? Illusion? Dis-moi, l'ami. Oui, l'ami. Mes parents ne sont plus là pour me rappeler que je suis l'aube d'un secret. Une histoire inachevée.

Dis-moi, l'ami. Car l'amitié règle bien des questions en suspens. Parle-moi de moi. Dis-moi la foule. On me dit qu'elle se courbe, s'agenouille et fait la nuit dans sa mémoire. Elle est pauvre. Je le sais. Muette aussi. La bouche pourrie par des péchés que les chefs inventent. Est-ce vrai, l'ami?

(Abdou Traoré)

A l'école, Pierre Pelletier m'apprend à lire et à écrire. C'est chouette mais c'est dur. Il m'apprend à écrire des mots et des tas de choses qu'il croit que je dois savoir. Il me lâche pas. Pour ça, il a des suites dans les idées. C'est un bon maître d'école. C'est vraiment un crack, ce gosse. Il me fait lire. Il écrit des choses de sa belle écriture. Le problème, c'est que j'ai de la peine à me fourrer dans le crâne tout c' qu'il m'explique. Mais à Pierre Pelletier, son autre nom c'est la patience. Alors, il explique. Il est vraiment têtu, ce môme.

— Il faut te battre, qu'il me répète sans cesse. Il faut! Il faut!

Ce terrain-là, je le trouve glissant. J' veux juste sauver ma peau.

Quand Pierre Pelletier me donne des cours, toutes les filles viennent dès qu'elles peuvent. Surtout Lolita. Elle me demande: «Alors, ça marche?» Mais je suis pas aveugle. Je vois bien qu'elle en pince pour lui. Quelquefois, elle met ses habits du dimanche et vient faire la belle à la permanence quand Pierre me lit la dictée ou essaye de me rentrer plein de choses dans la tête. Il regarde ailleurs comme s'il la voyait pas. Moi à sa place... Mais rien n'est à sa place, alors...

Mademoiselle Garnier a dit que je progressais.

J'ai fabriqué un bracelet pour Lolita. J'ai pris des vieilles sandales de mon papa que j'ai taillées pour avoir le cuir. J'ai bien lissé les lacets, je les ai teints avec de l'argile, j'ai séché, ensuite je les ai nattés ensemble. En fait, j'ai jamais rien fait pour personne, sauf pour Allah quand je vais à la mosquée. Alors, j'ose pas trop montrer mon bracelet à Lolita, des fois qu'elle se moquerait de moi. Quelquefois, je vois Lolita dans la cour. Elle est avec sa copine. Elle est habillée comme une princesse avec sa robe en laine bleue et des collants assortis. Elle a toujours un gros nœud dans les cheveux. Qu'est-ce qu'elle est chic! C'est à croire que tous les oiseaux du ciel chantent rien que pour elle. Là toujours, je sens mon cœur qui chavire. «Viens, viens!» j'ai envie de lui crier, avec l'aide d'Allah, cela va me donner quelque chose dans la vie. Mais j' dis rien, vu que j' suis pas vraiment chez moi ici et qu'elle m'a rien demandé non plus. Quelquefois, elle croit que je la vois pas, et elle me jette de drôles de regards comme si je serais une bête curieuse. Ensuite elle éclate de rire. Ses copines aussi.

Moi, je garde la tête haute. Et puis j'étudie avec Pierre Pelletier. Je dessine des a, des o, des c. Bientôt je forme des lettres de plusieurs signes comme MANGER DORMIR SORTIR.

— Bientôt, tu seras un as, mon cher, me fait Pierre Pelletier.

Un jour, je m'enhardis quand même et je montre le bracelet à Lolita.

— Que c'est joli! elle dit. Où tu l'as eu?

— C'est moi qui l'ai fait. C'est pour toi.

— C'est vrai?

— Ouais.

Elle met le bracelet.

— Oh! Mamadou, t'es un vrai génie.

Moi je baisse la tête.

Elle court dans la cour de récré, elle le montre à tout le monde. Elle rit. De toute façon, elle est superbe. Elle fait voir à Pierre et à Johanne combien le bracelet est joli.

— Tu peux m'en faire un? demande Johanne.

— Bien sûr, je réponds.

— Et tu pourrais aussi en faire un pour Pierre, dit Lolita. Ce serait gentil de le remercier, et de lui montrer ton travail.

Quelle idée géniale. A la maison, je découpe une vieille paire de sandales en peau de serpent tout en pensant au genre de bracelet qu'il aimerait, Pierre Pelletier. Il est gentil, il est beau et il parle pas souvent. Il me soutient pour tout c' que je veux faire et quand il me touche, on dirait que ses mains savent c' que je veux. Je commence donc son bracelet. Il faut que ça soye plus large que celui de Lolita, souple, confortable...

Alors je coupe, je natte et je finis. Et puis je lui donne.

Première nouvelle après ça, Johanne en veut vraiment un aussi et Lolita en veut un pareil que Pierre Pelletier et tous les gars de la classe en veulent. En un rien de temps, je suis débordé. Je me demande bien où je pourrais trouver d'autres vieilles paires de sandales.

— Il faut vendre tes bracelets, me dit Pierre.

— Comment?

— Ben, tu proposes un prix...

Là, il réfléchit un moment et puis il dit:

— Trois francs le bracelet. Celui qui veut n'a

qu'à payer. Ça y est, mon gars, c'est parti pour toi.

Les jours qui ont suivi, j'ai travaillé comme un dingue. J'apprenais à lire et à écrire. Je m'appliquais à l'ouvrage, vu que Pierre Pelletier cessait pas de me dire qu'il le fallait si je voulais être malin. Je fabriquais les bracelets. Le samedi, j'allais nager avec M'amzelle Esther. Maintenant je sais nager et M'amzelle Esther en est très fière et arrête pas de me complimenter.

C'est en revenant de la piscine qu'il y a eu un scandale au café de Monsieur Guillaume. Il y avait là mon papa, Monsieur Kaba, Monsieur Laforêt, Monsieur Ndongala, mon oncle Kouam qui a épousé une femme blanche qui met des pantalons malgré qu'elle est vieille et toute une tribu de nègres que j' peux pas tous vous décrire vu qu'ils étaient nombreux. Tout le monde a trinqué un coup et lancé des blagues habituelles. J' peux pas tout vous expliquer, mais j' vous jure que rien de tel que de mettre les nègres ensemble pour voir tout le foin que ça donne. Ils rigolent pour des trois fois rien. Ils se tapent dans les mains, sur les cuisses, rejettent la tête en arrière et rient les dents dehors comme des nanas qui attendent un gros câlin. Quelquefois, ils chantent. Ils chantent tous faux mais c'est vraiment pas important. C'est à ce moment que Monsieur Guillaume a sorti la chose. Un bonhomme en paille avec un visage blanc et plein d'aiguilles piquées partout sur son corps.

— Oh! Monsieur Kaba a crié.
— Superbe! a fait M'amzelle Esther.
— Qu'est-ce que c'est? a demandé mon papa.

— Un fétiche, pardi ! a répondu Monsieur Guillaume.

— Un fétiche ? ils se sont tous exclamés.

— Ouais ! a fait Monsieur Guillaume.

— Oh !!! ils ont tous fait en roulant des yeux comme s'ils venaient de voir un monstre.

Puis mon papa a fermé les yeux et récité les cantations pour chasser les démons. Après, il a dit :

— C'est mauvais !

— Pourquoi, papa ? j'ai demandé.

— C'est un péché.

— Mais t'en as bien un, toi.

Il m'a pas répondu. Il a pointé le fétiche du doigt et il a dit :

— Mauvais ! Mauvais !

— Ouais, a fait mon oncle Kouam. C'est l'incarnation du démon.

Puis Monsieur Kaba s'y est mis aussi. Sa figure était tout ombragée.

— Armaguédon ! il hurlait. Jézabel ! Caïn ! C'est la perdition des justes dans les eaux bouillantes de l'enfer ! Je vous l'avais bien dit ! Je vous avais avertis !

Monsieur Guillaume était tout impressionné. Ça se voyait à ses yeux qui s'étonnaient et se figeaient avec une expression de pourquoi. C'était la première fois qu'il voyait les nègres agités comme mille voiliers en dérive.

— J' le trouve plutôt mignon, il a bégayé.

— Moi aussi, a fait M'amzelle Esther. Il est comique avec son chapeau blanc et son costume noir.

Et là, elle a éclaté de rire. Son rire est comme l'eau de la fontaine. Clair. Limpide.

Les nègres se sont tournés vers elle. Mille paires d'yeux la dévisageaient.

— Allons, les gars, j' suis pas votre diable, moi! D'ailleurs, tout ça c'est de l'ignorance, de la superstition et rien de plus!

Le visage de Monsieur Kaba s'est empourpré sous le coup de l'indignation; il a rempli son verre d'une main tremblante en versant un peu de vin sur la toile cirée. Verser du vin hors d'un verre porte malheur. On doit alors conjurer le sort en crachant trois fois par terre. Mon papa s'en est chargé.

Monsieur Kaba a bu une gorgée de vin. Il a déposé son verre. Puis il a poussé un ricanement méchant.

— Regardez un peu cette gamine qui traite un homme d'ignorant. Elle connaît rien à rien.

M'amzelle Esther en avait le souffle coupé. Elle a allumé une cigarette, sans mot dire.

— J'ai quitté l'école en sixième, il a repris d'une voix rauque. Mais toi, t'as l'instruction des Blancs, le lycée, le bac et tout ça, et t'es encore une gamine. Franchement, tu as encore beaucoup de choses à apprendre.

— Je suis pas née de la dernière pluie, vous savez! a répliqué M'amzelle Esther. Je sais plus de choses que vous l'imaginez.

Moi aussi je savais.

Dès la prime enfance, j'avais appris beaucoup de choses dans cette tribu, toutes sortes de précieuses traditions qui se transmettent de génération en génération depuis nos ancêtres les Touareg. Mais j'oublie quelquefois. Par exemple, je sais depuis des années que pour éviter le mauvais œil, il faut porter une chaîne en or, car le

74

sorcier qui vous attaque est distrait par l'or, il se met à faire des combines pour vous l'arracher et vous laisse tranquille. Je sais que l'urine du matin est une pure merveille pour guérir les boutons, mais jusque-là je n'ai pas eu l'occasion d'utiliser cette panacée. Je sais bien sûr qu'un caillou écrasé guérit l'angine et un coquillage rouge, la rougeole. Chaque fois que j'ai de la fièvre, M'am m'attache une gousse d'ail au poignet, et chaque fois la fièvre tombe. Je sais que si on dort les fenêtres ouvertes, tous les sorciers du voisinage entrent dans la maison, alors il faut mettre un verre d'eau sur le rebord de la fenêtre : les sorciers s'y noient. Je sais également que planter un couteau sous la pluie éloigne la foudre de la maison. Je sais tout cela. Mais Monsieur Kaba a raison : on est jamais assez futé.

La rigolade était finie. Mon papa a repoussé sa chaise et il a mis son pardessus.

— On s'en va, fiston.

Ça a été comme un signal. Tous les nègres sont sortis du café à la queue leu leu sans plus prononcer une parole.

Dehors, l'air frais emplissait le ciel immense, puissant, infini. Mon papa a sorti une cigarette qu'il a allumée.

— Pourquoi que c'est mauvais, le fétiche de Monsieur Guillaume ? j'ai demandé encore à mon papa.

— Parce qu'il est interdit dans not' religion de représenter la figure humaine.

— Dis papa, pourquoi t'en as un, toi ?

— C'est pas pareil, il a répondu.

Mais moi, je vois pas la différence.

L'histoire du fétiche de Monsieur Guillaume a ému les nègres si profondément qu'il a fallu prendre des mesures. Monsieur Guillaume plaît bien aux nègres, vu qu'il a un enfant blanc de couleur qu'il a adopté à titre définitif. Soudain, à cause d'un fétiche, tous les nègres de Belleville ne pouvaient plus le renifler. On l'accusait de tout depuis, d'avoir les mains sales, des pieds qui puent, de servir de la bière mélangée à l'eau du savon, d'arnaquer la clientèle, d'être maqué avec les fachos jusqu'à s'adonner à des rites de sacrifices humains. Personne y allait plus, sauf Monsieur Laforêt.

Ça a bien duré deux semaines, les misères de Monsieur Guillaume. Puis un matin, tout le monde a changé d'avis sans information complémentaire, seulement que les nègres étaient fatigués de le trouver si méchant. C'est Monsieur Kaba qui a ouvert la marche.

— Alors, vieux frère, comment ça va ? il a demandé à Monsieur Guillaume avec un immense sourire.

— Bien, il a répondu.

— Ça fait longtemps, hein ?

— Ouais.

Alors, toute la tribu est revenue à la queue leu leu. Monsieur Guillaume les recevait l'air de rien. Les habitudes reprenaient. Les nègres lui faisaient des sala malékoum en riant, en lui tapotant les épaules comme s'ils s'étaient quittés la veille.

Moi, j'étais tout étonné. Je comprenais rien. Avec les nègres, faut pas chercher à comprendre.

J'ai perdu mon âme au-dessus d'un océan.

Je suis un bout de différence qui fait rager les imbéciles.

Mes pas dans les rues font monter les murailles et renforcent les pierres de l'indifférence.

Moi l'immigré, l'étoile exilée, j'avance la tête renversée. J'essaye de ne pas peser lourd, d'être un papier froissé, au cas où quelques anges viendraient me porter jusqu'au ciel, près du Seigneur.

Je suis un bruit, un souffle à peine.

Et pourtant, la vieille peau devant moi fuit, son sac serré sous ses aisselles.

Plus loin, aux quartiers des maisons de pierre où l'on ne veut pas entendre des cris de souffrance, quelques chiens et chats égarés se lancent à mes trousses.

Je suis transparent.

Un mot difficile à prononcer.

Un mal qu'on attrape.

Mais toi l'ami, toi, écoute sans juger, laisse-moi vivre près du monde, le temps d'une étoile, d'un quart de lune encore et écoute :

Dans cette pièce aussi vaste qu'un cercueil — MA MAISON.

Je chante la joie d'être aimé en regrettant mille fois l'inaccessible.

Je trompe mes yeux de tendresse, isolé des hommes et du temps qui baigne ma vie d'opprobre et de sang. Je me fonds en un saule frémissant, blotti au fond des rêves inavoués
Qui prient mon âme d'oublier.

(Abdou Traoré)

Je dors, je me réveille. Je dors, je me réveille encore, je me rendors, je me réveille toujours. C'est vrai, quoi, j'arrive pas à dormir vraiment. Je travaille toute la journée. Je lis. Je nage. Je fabrique des bracelets. Mais j'arrive pas à m'endormir. Je fais le truc de compter des moutons, ça marche pas non plus. Je fais venir Superman. Superman, c'est le chien que je m'ai fabriqué dans la tête quand M'am a dit que «quand y a pas de quoi nourrir des hommes, y a rien pour gaver le chien». Superman me lèche la figure comme ça avec sa langue, mais bon Dieu, ça marche pas non plus. Alors, je reste éveillé jusqu'à ce que M'am dise: «Ça coûte cher, la lumière.» Alors j'éteins. Mais je dors toujours pas. Peut-être bien que j'ai fait quéque chose que le bon Dieu il me punit. Alors, je réfléchis: ouais, c'est à M'am que j'ai fait de la peine.

Je me lève. C'est rudement tranquille. Tellement tranquille qu'on s'entend respirer. Moi, ça me plaît bien; ça change des bruits de Paris dans la journée. Dans la rue, il y a un chien qui marche tout seul en plantant son nez dans le goudron.

— Quéqu'il y a ? Tu dors pas ? M'am demande.

— J'ai pas envie.

— T'es malade ?

Je dis que non. Elle fronce les sourcils puis elle dit :

— Quand un homme dort pas, c'est la conscience.

— Ouais.

— Mmmm, je vois.

Je vois dedans ses yeux qu'elle voit, qu'elle a déjà tout vu et qu'elle connaît les mêmes tracasseries et qu'elle réfléchit aussi.

— J'ai vraiment honte, M'am. J'ai pensé du mal de toi et d'autres personnes aussi, parce que t'es pas ma maman.

— Ça me fait aucun plaisir, Loukoum.

— Où elle est ma maman ?

— J'en sais rien. Je l'ai jamais vue.

— Et t'as jamais eu des nouvelles ?

— Non.

— Elle doit être morte.

— Va donc parler à ton papa, elle me donne comme conseil. C'est quand même ton papa. Il aura bien quéques idées là-dessus.

— Je t'aime, M'am.

Elle a souri, puis elle a porté les mains à son visage.

Papa et moi, on a parlé pendant des heures. Je voulais savoir comment elle est, ma maman, grande ou petite ? Qu'est-ce qu'elle met comme vêtements? Elle sait lire? Elle fait bien la cuisine? Et sa peau? Et ses cheveux?

Je voulais vraiment tout savoir sur ma maman. Papa parle, il parle tant qu'il a plus la voix.

— Pourquoi tu veux savoir tant de choses sur ta maman?

— Parce qu'elle est ma maman, même si elle m'aime pas.

Ensuite, nous sommes allés à la mosquée. On a mis nos djellabas blanches, les deux pareilles, et nos chéchias de la mosquée assorties aussi, sauf que son nœud derrière est rouge et le mien est jaune. Nous avons descendu la rue Jean-Pierre-Timbaud. Il fait un peu frisquet mais le soleil brille. Nous sommes très chics. Nous marchons côte à côte. Il m'explique plein de choses pendant que nous allons à la mosquée. On fait très bonne impression. Des femmes se retournent et lui font des sourires. M'am et Soumana sont restées à la maison — les femmes musulmanes n'entrent pas dans la mosquée à cause des souillures ou quelque chose comme ça que j'ai pas très bien compris.

Après l'office, le père a fait plein de sala malékoum avec des musulmans. Il y a aussi les Arabes qui sont musulmans. Mais c'est pas pareil.

Ensuite, nous sommes allés au café de Monsieur Guillaume. Toute la tribu nègre est là. Ils boivent un coup et bavardent. Il y a là ma tante Mathilda avec mon oncle Kouam. Ma tante Mathilda met des pantalons ou des jupes trop courtes, elle boit du cognac et elle fume. Quelquefois, quand mon papa parle d'elle, il dit des mots comme «pute», «roulure», «traînée» et «fille de joie». Mais il dit rien quand ma tante Mathilda est là. Il lui fait même des sourires.

— Alors, ma chérie, comment ça boume?

— Crevée, elle fait.

Hormis le joli cul qu'elle tortille sur ses talons de luxe, ma tante a une jolie figure. Elle me raconte des belles histoires. Mais papa dit qu'elle se comporte pas comme une honorable femme de musulman.

Mon oncle Kouam est fonctionnaire dans quelque chose. Il joue aux chevaux. Il mise d'abord sur le 3 Joli-Cœur, puis sur le 7, puis sur le 9 Paradis.

— Faudrait être le roi des cons pour mettre un rond sur la tête à celui-là, dit Monsieur Guillaume. Même monté par Zorro, il est sûr de finir dans la luzerne.

— Il ferait bien d'arrêter de jouer, fait ma tante Mathilda.

Ensuite, elle explique qu'il est temps qu'elle ait une voiture parce que celle qu'ils ont, personne en voudrait, même en cadeau. Ensuite, elle va à la porte, elle jette un coup d'œil à la voiture et elle dit:

— Un tas de ferraille.

— C'est un môme qui lui manque, fait mon papa à mon oncle Kouam.

— Elle en veut pas.

— T'as pas à lui demander sa permission. Les femmes ne sont bonnes qu'à…

Et là, il n'a pas fini sa phrase.

Mon oncle Kouam secoue la tête et dit:

— T'as de la chance, toi, vieux. Celle-là, je t' jure que c'est une tête de mule.

Après, je demande à ma tante Mathilda :

— Et pourquoi qu' t'es une tête de mule ?

— Qui t'a dit ça ?

Je réponds pas.

— Pourquoi que t'es sa femme ?

— C'est le destin.

— Ouais, je fais. Moi aussi, j'aurai mon destin. Je vais me marier…

— Sans blague !

— Ouais.

— Qui est-ce ?

— Une fille de mon école.

Elle rigole et elle dit :

— Une amourette.

— C'est du sérieux.

— Sa mère à elle, qu'est-ce qu'elle en dit ?

— J' la connais pas.

— Et son père ?

— J' sais pas qui c'est.

— Et elle, qu'est-ce qu'elle en dit ?

— Je lui ai rien dit.

— Ça alors ! Et comme ça, tu vas te marier, mon p'tit ? Félicitations.

Mais je vois à sa tête qu'elle n'en croit pas un mot.

Le père est parti depuis plusieurs jours. Il revient pas à la maison et M'amzelle Esther a disparu aussi. Elle vient plus nager avec moi. Les femmes parlent entre elles. M'am prie, elle fait que de prier. La Soumana, elle est colère. Quelquefois, elle dit :

— J' serai pas tranquille tant que je l'aurai pas tué.

Les enfants la regardent et se mettent à pleurer et crient : « Maman ! Maman !... » Mais elle, c'est comme si elle écoutait pas. Elle s'occupe plus des gosses. Souvent, elle les touche comme ça, mais même pas comme quand on caresse un chien. C'est plutôt comme si c'était un tabouret ou un morceau de bois. C'est M'am qui fait son travail de femme. Quelquefois, mes sœurs font des cauchemars la nuit. Elles crient. Ça réveille tout le monde. M'am allume et va voir. Elle les tapote sur les épaules et les console. Elle est très bien avec nous.

Aujourd'hui, M'am a ramené une femme à la maison. Une Blanche. Elle porte un poil de chameau. Elle a beaucoup de cheveux sur la tête, tout blonds, ce qui la rend remarquable.

— J' te présente mon amie, dit M'am.

Elle s'appelle Madame Saddock. Elle parle doucement comme si on dormait mais personne ne dort. Elle regarde autour d'elle avec des yeux comme ça. Elle doit peut-être penser que nous sommes minoritaires, vu qu'on a pas les produits de première nécessité comme le gaz de la ville de Paris qui n'arrive pas jusqu'ici. Mais elle fait pas de réflexions. Dès qu'elle a ouvert la bouche, j'ai tout de suite pensé que c'est pas une affaire.

— C'est inadmissible, qu'elle fait. Intolérable! Il faut vous battre! Moi je vais pas le faire à votre place.

— C'est vrai ça, dit la Soumana. J'en ai marre!

— Alors, qu'est-ce que t'attends? Que ta vie soit par terre?...

— J'en peux plus, elle dit. Cet homme, c'est la mauvaise graine. Il pourrit tout.

— C'est parce que tu penses qu'il est partout que ça t'embête, dit M'am. Tu crois que c'est lui, Dieu. Mais c'est pas lui. Parles-en à ton Dieu. Confie-lui ta vie et tu verras que tout ira mieux.

— C'est pas facile, dit Soumana.

— Tout à fait d'accord, dit Madame Saddock. J' sais même pas si Dieu existe. Par contre, je sais que l'homme est partout et c'est lui que vous devez combattre.

— Dieu existe, dit M'am. Quand un mec te fait chier, tu penses aux oiseaux, tu penses aux fleurs, tu penses aux arbres. Tout ça, c'est les créatures du Seigneur. Il les a fabriquées pour les femmes parce que les hommes y sont aveugles.

— J'en peux plus! crie la Soumana. Dieu ou pas Dieu, je veux vivre ma vie.

— C'est ton droit, dit Madame Saddock.

— Ouais. J' veux vivre.

— T'as déjà quelque chose, réplique M'am. Tu as des enfants.

— Lui aussi, mais ça l'empêche pas de les abandonner et d'aller courir les femmes.

— Tu peux divorcer, elle suggère Madame Saddock.

— Faudrait d'abord qu'elle soit mariée, fait M'am.

— Alors, tu peux t'en aller quand tu veux.

— C'est pas si simple, répond Soumana.

— Et pourquoi? demande M'dame Saddock. Tu es libre, tu peux t'en aller quand tu veux!

— Et mes enfants, qu'est-ce qu'ils vont devenir?

— C'est pas un problème, les enfants sont toujours confiés à leur mère.

— Tu parles! Je peux même pas dire que mes enfants sont mes enfants.

— Pourquoi tu dis ça?

— Parce que j'ai pas de papiers, j'ai rien. Les enfants sont juste sortis de mon ventre et c'est M'am qui m'a prêté ses papiers pour accoucher. Alors…

— C'est terrible, dit M'dame Saddock. Scandaleux! On peut pas s'imaginer de tels trucs de nos jours.

— Les hommes ont bien tué le fils de Dieu, alors… C'est pas important, fait M'am.

Là, elles se sont regardées avec des yeux de veau. Puis M'dame Saddock a demandé:

— Je peux fumer?

— Ouais, M'am répond.

Elle va vers la fenêtre. Elle ouvre et elle dit:

85

— Faut faire aussi attention aux cendres, des fois qu'il rentrerait et que ça le tape à l'œil.

— Vous n'en voulez pas une ? demande encore Madame Saddock.

— C'est interdit par la religion, répond Soumana.

— Faut essayer.

— J'y tiens pas. Paraît que ça donne des maladies.

Madame Saddock allume sa cigarette. Elle tire une bouffée et elle dit :

— C'est des histoires. Mon père fumait comme un pompier et il est mort dans son lit à plus de quatre-vingt-cinq ans.

Madame Saddock s'est mise à expliquer aux femmes des tas de choses. Elle a parlé des associations de défense de la femme, de la révolution féminine de 68 où des femmes ont uni leurs forces. Depuis cette date-là, qu'elle fait, les femmes ont les mêmes droits que les hommes. Elles sont libres. Elles travaillent. Elles réalisent leurs rêves. Elle a dit des tas d'autres trucs, des femmes qui étaient chefs de quelque chose dans les bureaux, des femmes médecins, des femmes politiques. Elle a parlé tant qu'elle a plus de gosier. Je sais tout ça, moi, mais j' vois pas la différence.

Ensuite, elle a demandé un papier et un crayon. Elle a griffonné quelque chose qu'elle a donné à Soumana. Puis elle s'est levée et elle est partie.

Au bout d'une semaine, mon papa est revenu. Il titubait et s'est laissé tomber comme une masse dans son fauteuil. Il avait l'air triste et tout ramollo. Il a rien dit à personne. Moi, j'avais des tas de questions qui me démangeaient le bout de la langue : Où il était ? Avec qui ? Qu'est-ce qu'il lui est arrivé ? Je me mordais les lèvres pour pas demander.

Après ça, il a dormi jusqu'à l'heure du déjeuner. Il a ouvert un œil quand les femmes ont fini la cuisine.

Et le voilà qui sort de la chambre, en traînant les pieds comme une savate. Il s'assoit dans son fauteuil. Il met la télévision. Il sort sa noix de cola, il mord un morceau, il mâche, il crache contre le mur *floc-flac* !

Et il se tourne vers Soumana.

— Amène-moi un verre d'eau, qu'il dit cul sec.

Elle lève les yeux et le regarde.

D'abord, son visage ne bouge pas. Son gros nez plat reste pareil. Sa bouche charnue comme un pruneau aussi. Seuls ses grands yeux brillent. On dirait qu'ils veulent tuer un serpent. Ensuite, elle regarde mon papa des pieds à la tête et elle glousse.

— Enfin ! elle dit.

Après, je me suis enhardi et j'ai demandé :

— Dis, papa, c'est quoi exactement une femme évoluée ? *independant broyed minded ek.*

Mon papa fait sans lever les yeux :

— Qui t'a parlé de ça ?

— J' sais pas, je mens.

J'ose pas lui parler de Madame Saddock.

— Personne y écoute c' que dit ces femmes-là. Elles bavardent comme une pie. Y a pas d'hommes qui veulent d'elles. C'est pour ça qu'elles font des révolutions.

Il a mordu dans la cola et il a mâché et il a dit :

— Ecoute, Loukoum, t'es mon héritier. Tout c' que j'ai sera à toi un jour. Alors, écoute-moi bien. Ce genre de femme, c'est de la mauvaise herbe, ça ouvre les cuisses à n'importe qui. Faut jamais les écouter. Jamais !

Moi, je voudrais pas hériter de la Soumana, je vous l' jure ! Une négresse de quatre-vingt-cinq kilos tous les uns plus moches que les autres, ça fait bizarre.

Les femmes ont préparé du couscous. C'est très nutritif. Sauf que Fatima n'arrête pas de pleurer. Mon papa l'a tapée.

Après, j'ai révisé mon écriture car demain, il y a contrôle d'orthographe.

Ç'a pas été facile, le contrôle d'orthographe. C'était pas très dur non plus, sauf que le français a des mots compliqués et que j'écris pas vite. Le temps de terminer RANGER qu'on était déjà à MANGER. Ça me remontait pas l'enthousiasme. Enfin, j'ai fait comme j'ai pu. Pierre Pelletier, lui, il écrit facilement. Quand il a fini, il regarde ma copie, il m'envoie des sourires d'encouragement.

Après l'école, Mademoiselle Garnier m'a appelé, elle s'est penchée vers moi et elle a dit en me tendant la main :

— Félicitations, Mamadou! Tu t'en es bien tiré.

Elle a des mains merveilleuses, longues avec des ongles roses bien dessinés. C'est comme un manège quand on les regarde.

— Faut continuer comme ça.

— Inch Allah, je dis.

Elle a rigolé. Elle a tourné le dos et elle est partie.

Ça m'a fait un choc.

J'ai glandouillé un peu, histoire de calmer mes émotions. D'habitude, je rentre avec Alex, mais il m'a pas attendu. Il se passe rien — j'aimerais bien qu'il se passe quelque chose.

Au lieu de rentrer directement, je prends la rue Ramponeau, j'atterris rue de Belleville. Je regarde partout autour de moi. Il y a des restaurants chinois avec des poulets grillés suspendus à la vitrine. Il y a des hors-d'œuvre que je connais pas. Alors, je marche et j'observe tout ça. Un jour, j'aimerais bien aller au restaurant. Mais M'am dit que c'est comme jeter de l'argent par la fenêtre d'un train.

C'est alors qu'il s'est passé quelque chose. J'ai vu Lolita. Elle est avec Johanne. Elles marchent de l'autre côté du trottoir. Je traverse la rue pour être reconnu. Mais elles sont peut-être occupées, alors, elles me voient pas. Je les suis. Elles bavardent. Lolita balance son sac comme ça comme une dame. Ça va, ça vient, ça va, ça vient, ça touche sa robe et ça fait comme une sorte de vague dans sa robe. De toute façon, elle est sublime.

Lolita entre au n° 65 qui donne à l'intérieur sur une cour. La maison de Lolita est celle avec une baie vitrée et des rideaux blancs au deuxième étage. Je l'ai vue penchée au balcon et c'est comme ça que je l'ai su. Mais Lolita ne m'a pas vu. J'aimerais bien habiter une maison comme celle-ci. J'ai sorti une feuille et j'ai fait un dessin. Je voulais le glisser sous la porte de Lolita. Bof, finalement je m'ai dit : elle saurait même pas que c'est moi.

J'avais mon dessin dans la main et je regardais la fenêtre de Lolita. Pendant que j'attendais, deux flics de surveillance sont venus. J'ai eu la trouille mais j'ai pas bougé, vu que dès qu'on se met à courir, on est coupable sans procès. Alors, j'ai regardé la fenêtre de Lolita, l'air de rien. Le flic a vu mon dessin.

— Qu'est-ce que c'est, un crapaud?

— Non, c'est un chien.

Il me regarde. Il prend mon dessin, il le montre à son compagnon. Ils éclatent de rire.

— T'es dingue ou quoi? il m' demande.

— Oui, Monsieur.

— Avec ces nègres, faut s'attendre à tout.

— Rendez-moi mon dessin, Monsieur.

— Ah! qu' c'est drôle, qu'il fait.

Mais je suis pas pour rire. Je saute en l'air et j'arrache mon dessin.

— On se calme, espèce de petit con!

— Fous-lui la paix, dit l'autre flic.

Je lève la tête et je vois Lolita. Elle me voyait et elle criait:

— Oh, la la! Quel brave garçon!

A la maison, les femmes parlent. Elles se lèvent, elles bavardent. Elles lavent par terre, elles bavardent, elles cuisinent, elles bavardent.

— J'en crois pas mes yeux qu'il soye là, fait Soumana.

— J' t' l'avais dit. Faut attendre.

— Mais moi, ça change pas que j'ai envie de partir.

— Pour aller où? Tu connais personne.

— J' me débrouillerai. J' suis pas plus mal que celles qui montrent leur derrière au cinéma.

M'am sourit. Et là, Soumana passe son cure-dent de l'autre côté de la joue et se fâche.

Elle sort, quand elle rentre de nouveau dans la cuisine, elle est comme je l'avais jamais vue. Elle porte un chapeau qui lui va pas parce que c'est pas possible. Elle a mis un pantalon gris princede-galles qui lui fait un cul indescriptible, vu que ça prend toute la place. Elle tient son sac peau de crocodile. Elle l'a de l'Afrique et elle le garde pour des raisons sentimentales que j' connais bien. Elle nous regarde avec élégance comme une étrangère, quelqu'un qui n'a jamais servi.

M'am la regarde des pieds à la tête et puis elle lui dit :

— Tu ferais mieux d'enlever ça avant qu'il arrive.

— Jamais ! Abdou m'aime bien en pantalon. A l'époque, j'en avais un rouge. Ça l'excitait drôlement. Comme un taureau, si tu vois de quoi j' veux parler.

Là, elle sourit. On dirait qu'on vient de lui annoncer une bonne nouvelle. Ses yeux vont loin, loin. Ça se voit qu'elle a des pensées roses, sans limites. Des pensées comme le ciel. M'am hausse les épaules et les laisse tomber.

— Moi, j' crois que j' peux devenir actrice de cinéma, dit Soumana en mettant une main sur ses hanches et en battant des cils.

— Et pourquoi pas la reine d'Angleterre ?

— J'ai pas pensé. Mais c'est vrai que ça va ensemble.

Elle se tait. Elle jette la tête en arrière et elle continue :

— Après tout, c'est comme ça que Grace Kelly a connu le prince Rainier.

— C'est ça, qu'elle dit M'am en pouffant. N'oublie pas de m'envoyer une invitation.

— Et comment que tu vas faire pour devenir actrice ? j' demande.

— J'irai à Cannes. Y a les producteurs là-bas. Y en a un qui va tomber amoureux, alors...

Puis elle a continué à parler comme pour elle-même.

— A Cannes, il y a les mers, les lords anglais qui se promènent sur la plage, il y a les bateaux, les oiseaux, les clowns dans les rues et des ballons qui tombent du ciel, des princesses de Monaco qui s'battent en caleçon sur les plages. J'aurai des belles robes, des manteaux de fourrure, des voitures, des bijoux…

— Et une bonne trempe, M'am fait en rigolant.

— Jamais j'le laisserai porter la main sur moi. T'as bien entendu ce qu'a dit M'dame Saddock! Qu'il essaye de lever la main sur moi et je vais lui foutre toutes les femmes de la France au cul.

Elle n'a pas fini de dire ça que le père rentre. Il n'est pas seul. Mon oncle Kouam l'accompagne.

Quand ils voient la Soumana habillée comme ça, mon oncle met sa main sur sa bouche pour pas rigoler. Mon papa la regarde comme si elle était un tas de boue. Avec des yeux qui disent: «Qu'est-ce que c'est qu'ce monstre?»

— Va m'enlever ça! dit mon papa.

— I no be talk! qu'elle dit M'am.

La Soumana a baissé la tête. Elle est partie se changer. Mais avant de disparaître, j'ai vu ses yeux. C'était pas regardable. Il y avait là tous les démons d'Afrique.

Ils se sont assis et M'am leur a servi un thé à la menthe. Mon papa a cassé de la cola. Il a donné une lune à mon oncle Kouam.

— J'me demande quoi faire pour que Mathilda m'écoute, qu'il explique à mon papa. Elle n'en fait qu'à sa tête. Elle n'obéit jamais et en plus, elle me répond. Le soir, si elle veut sortir avec les amis, elle se tire. Je lui dis qu'on est mariés, et que bon, après tout, sa place est auprès de moi. Elle répond que ça n'empêche. Si tu veux venir, t'as qu'à venir. Fiche-moi la paix! Elle va se pomponner devant la glace, elle siffle. Je sais plus quoi faire...

— T'as qu'à lui en foutre une! Il n'y a que ça qui marche avec les bonnes femmes. Tu la bats. Tu la b... Ensuite, tu peux mourir en paix.

Mon oncle Kouam regarde ses mains. Il est gêné.

— J' peux pas, il fait d'une petite voix.

— Alors, te plains pas...

— J' crois juste qu'il y a un autre moyen.

— Alors, cherche sans moi.

Puis il y a eu un gros silence. Mon papa a craché *floc-flac!*

La Soumana pleure assise sur une chaise dans la cuisine. Tous ses habits sont tombés. Pas pour de vrai, bien sûr. Mais c'est une expression pour dire qu'elle n'en peut plus. Qu'elle est vraiment découragée. M'am prépare le dîner, des ignames avec de la poitrine. Elle la regarde pas. Personne pourrait lui réapprendre à vivre, même si on l'aime bien. C'est-à-dire marcher sans penser qu'elle marche, manger sans penser qu'elle mange et rire comme le bébé ému par les cliquetis d'un bracelet. Personne ne pourrait lui rendre sa jeunesse. Je lui prends la main. C'est tout c' que je peux faire pour elle.

Après, je suis sorti dans la rue, j'avais envie de me balader. J'ai croisé Monsieur Ndongala.

— Alors, mon petit Loukoum, comment ça va?

— Très bien, Monsieur Ndongala, j' lui réponds. Et vous ?

— Tant que t'es nègre ici, y a rien à faire !

Monsieur Ndongala est très gentil et beau comme lui, y en a pas deux. Sauf qu'il n'est pas très bien vu par la police française parce qu'il sollicite des attroupements. Il dit qu'il attend le moment propice et qu'ensuite il ira en Afrique pour mettre plein de choses dans le crâne des gens là-bas. Il dit que les Africains sont comme des Blancs. Ils se croient le centre du monde. Quand les chefs font des routes, ils pensent que c'est pour eux alors qu'ils n'ont même pas de bagnole. Quand on le regarde bien, Monsieur Ndongala est fait pour être roi, avoir des courbettes et donner des coups de pied au cul. Il serait bien à la place de Bokassa. J' me mords toujours la langue pour pas le dire, vu que personne me demande mon avis.

Moi, j'aime bien Monsieur Ndongala, parce qu'il se laisse pas faire. Quand il sollicite un attroupement et que la police vient, il s'arrête pas de parler, et si on lui demande quelque chose il dit : «J'ai mes papiers en règle.» Et il continue de parler et personne peut rien lui faire, vu qu'il a des papiers d'étudiant irréprochable.

— Comment va vo'te femme ? j' demande.

Il me regarde comme on croit rêver.

— Laquelle ?

Je réfléchis, puis j' dis :

— Celle qui a des cheveux argentés.

— Sonya ?

— Ouais.

— Partie !

— Et pourquoi qu'elle est partie ?

— Si une femme se marie, c'est pour bien tenir sa maison et ses enfants. Fallait voir ça ! La maison dégueulasse. La môme pas lavée. Le nez qui coule. Répugnant. J'osais même plus la toucher.

— Vous pouvez le faire, le travail…

— Nooon ! C'est un boulot de bonne femme… En plus, elle savait pas cuisiner.

— Moi, j'aimais sa tarte au citron, j' dis. Après tout, peut-être bien qu'elle voulait pas rester…

Il est très philosophe, vu qu'il a ri. Ensuite il dit :

— Viens donc un de ces jours à la maison. Je te présenterai Patricia, ma nouvelle. Elle fait la crème au chocolat mieux que personne !

— Oui, un de ces jours, je réponds, les mains dans les poches.

Un de ces jours…

Tu me diras pourquoi la femme ? Les femmes ? L'amour des femmes me guide dans mes mémoires. Elles sont mes légendes. J'ai épousé cette légende. Et dans ma folie, la femme comme une lanterne. Une petite lune exilée. Elle est ma seule sagesse.

Tu sais, l'ami, l'exclusion érigée en système. Non, tu ne peux pas savoir, trop occupé par les tiens. Je te vois qui souris à la vie. Tu parles tendresse, étourdi du même parfum. Une seule et unique femme. Même ses trahisons te comblent. Mais ces chemins faciles me sont refusés. Alors, écoute :

La haine.

La violence.

Ou l'indifférence.

Le travail qui vole la vie de chaque instant.

Les crimes.

Les rafles.

Les fouilles.

Ils ne tuent pas. Ils humilient. Ils abîment.

Alors, je me blottis dans ces draps magiques où la femme me tresse mille et mille songes, par-delà les blessures. Elle me réapprend les légendes et j'éjacule ma tendresse dans le vent.

La femme est ma drogue. Je ne m'en lasse jamais.

Heures fragiles résonnées d'espérance,
J'y creuse le délire pour m'y lover.

Ce corps de femme est mon ciel, ma richesse, mon prodige permanent. C'est pas un vol, l'ami, d'ailleurs ta femme ne me regarde pas. A l'aise, je suis sur ce chemin du praticable. J'ai la grâce d'échapper au poids, de considérer la pesanteur comme un cadre pour un miroir.

Mes paroles sont folles. Tu le penses.

Ta légende dit que je suis incapable d'aimer, que mon sexe de cheval me grimpe au cerveau, étouffe mon intelligence et y plante la bêtise. Je n'enlèverai pas de ton crâne dix mille ans de préjugés. L'angoisse de la vie me sépare de toi. Mais si tu installes ta couche une seule nuit sur les chemins de l'insomnie, transformant le sommeil qui t'échappe en un long jour obscur, alors, ma vie te parviendra.

(Abdou Traoré)

Mademoiselle Garnier nous a donné le cours de sciences nat. D'abord, elle a parlé. Elle a dit que les animaux se regroupent en deux familles : des vertébrés et des invertébrés, à sang chaud et à sang froid ; il y a des animaux utiles et des nuisibles. Les mammifères sont les plus évolués dans l'échelle des êtres vivants, les primates les plus évolués des mammifères, et l'homme occupe le sommet et domine tout parce qu'il a la parole. Ça me plaît pas comme théorie. J' me demande bien où on peut classer ma famille.

Ensuite on est allés au zoo. On a pris le métro. Mademoiselle Garnier a compté tout le monde, puis elle est venue près de moi. Elle a demandé :

— J' peux m'asseoir à côté de toi, Mamadou ?

J'ai dit que non, je voulais Lolita. Elle l'a fait quand même.

Il y a foule dans le métro. Personne bavarde, sauf les élèves qui criaillent. Il y a un arôme dans le métro qui colle comme une atmosphère. Plus on va, plus elle se fait dure. Moi, je me ventile avec mon cahier. Derrière nous, les rails foutent le camp et moi avec. Je sais pas pourquoi, mais une sensation dingue. Puis soudain, quelqu'un a crié :

— Il y a un éléphant qui m'écrase ! Il y a un éléphant qui m'écrase !

C'est Sylvain Durand. Tout le monde se retourne. Il montre Johanne des doigts et il dit :

— Voilà l'éléphant.

Moi je ricane. Elle est bien grosse, Johanne. Et de là où je suis, je peux pas voir Lolita.

Au zoo, chacun a pour petit copain celui près de qui il était assis. On doit se tenir par la main deux par deux. Alors moi, mon p'tit copain, c'est Mademoiselle Garnier. Je demande :

— Est-ce que j' peux pas avoir Alexis, s'il vous plaît, Mademoiselle ?

— Dis, Mamadou, qu'elle répond. Tu vas finir par me vexer.

Il y a plein d'arbres. C'est moins joli qu'au parc des Buttes-Chaumont. Mais il y a des arbres. Il y a aussi des haies, des buvettes, et des pistes qu'on doit suivre.

Nous sommes allés voir des singes et ensuite des chimpanzés, qui se cherchent des poux dans la tête. Ils les jettent dans la bouche et ils mangent. Alors, Alexis a chanté :

Tout le monde se cherche des poux,
Des poux, des poux,
Tout le monde se cherche des poux
Sinon y aurait pas de bon Dieu.

Mademoiselle Garnier l'a fait taire, vu que la musique et la danse vont avec le mal, alors, elle n'aime pas.

Ensuite, nous sommes allés voir les chameaux, les éléphants, les lions, les porcs-épics et les tortues. Ils dormaient tous dans un trou et j'ai rien vu du tout.

Enfin, nous sommes allés aux serpents. J'ai pensé aux yeux de la Soumana et ça m'a donné froid au cul.

Puis c'était l'heure de manger.

M'am m'a préparé un sandwich. Dedans, il y a des morceaux de bœuf et de la salade. La salade est toute chaude et toute molle. Je l'ai jetée. J'ai une bouteille de Pepsi et une barre de Mars comme dessert.

On s'est assis dans une aire de repos.

— Tu veux pas échanger avec moi ? elle m'a demandé Lolita en me montrant sa bouteille de Vittel.

Sur le coup, j' peux pas bouger, je suis comme cloué là. J' lui regarde les yeux et mon cœur dit : «Tout c' que tu veux, princesse.»

— Si tu veux, t'as qu'à pas lui donner, il dit Alex.

Il a pas eu le temps de finir que je dis presque trop vite :

100

— Mais moi, je veux lui donner mon Pepsi.

Mademoiselle Garnier me regarde comme si je mijotais quelque chose de mal dans ma tête. Les élèves chuchotent des trucs puis ils éclatent de rire.

— J'ai bien soif, et l'eau y a pas mieux! j' dis.

Très vite, ç'a été l'heure de repartir voir les animaux. Tout le monde a changé de petit copain. Sauf Lolita et Johanne. Moi, j'ai Alexis. Il clopine à côté de moi.

— Pourquoi que tu boites? j' lui demande.

— Un crocodile m'a mangé la jambe, il m' répond.

Y a des fois où je trouve Alexis crétin. Un jour, quand on avait quatre ans, il a appris le mot «idiot». Et ce connard n'a rien trouvé de mieux à faire que de s'asseoir au café de Monsieur Guillaume et de dire «Idiot» à tous ceux qui entraient.

Nous sommes allés voir les éléphants. Ils sont deux. Ils sont gris. Ils ont la peau toute craquelée et sèche. Ils remuent doucement d'avant en arrière. Puis ils ont avancé en cadence. Ensuite, ils ont reculé avec majesté. Et leurs grandes oreilles pendouillent comme des vrais cons. J' sais pas pourquoi, j'ai toujours pensé que c'est les éléphants les rois de la forêt. Il y a pas leur pareil ailleurs, peut-être sauf en Afrique. Monsieur Ndongala dit que les Africains sont tellement idiots qu'ils tuent tous les éléphants, vu qu'ils ont des trompes en diamant. Alors, les Africains vendent les trompes aux Blancs. Paraît même qu'ils vendent des villages tout entiers. Alors, les Blancs abattent les forêts, ils coupent des acajous géants, des baobabs, bref, tout c' qui est dans la forêt dans le but de rendre la terre plate comme la paume de la main. Ensuite, ils remplacent tout ça par des plantations d'hévéas.

J'ai aussi pensé à la Soumana. C'est vrai, quoi, en éléphant, elle aurait vécu sans souci de poids excessif. Mais elle l'est pas. C'est vraiment dégueulasse. Chacun aurait dû choisir c' qu'il veut. Moi, j'aurais aimé être un oiseau. Un aigle. J'aurais jamais eu d'horreurs. Je survolerais tout avec philosophie.

Après, je me suis promené dans l'allée, dans des coins à peine éclairés. Au détour d'un chemin, je vois Lolita. De dos, elle est. Peut-être bien qu'elle est inoccupée? Je bouge pas. J'attends. Inutile de provoquer le bonheur. Il est assez fort pour se déplacer et venir me rendre visite.

— T'aimes pas les éléphants? elle me demande.

— Bien sûr, j' lui dis.

— Tu mens.

— Et alors?

— J' pense que c' qui t'intéresse, c'est de regarder les filles.

— C'est pas vrai.

— Tu mens tout le temps, elle répond. Tu regardes Mademoiselle Garnier.

— C'est pas vrai.

— Mais si! Je t'ai vu. Tu regardes ses vêtements et quand elle croise les jambes, tu regardes ses chaussures.

Inch Allah!

Enfin, ça a été l'heure de rentrer. Mademoiselle Garnier s'est assise à côté de Pierre Pelletier. Peut-être bien qu'elle me gardait rancune? Faut comprendre et pardonner quand on peut.

Quand on est rentrés en classe, Mademoiselle Garnier a dit :

— Vous êtes en vacances à partir de maintenant jusqu'au 6 janvier.

— Youpi ! on a crié.

— Doucement les enfants ! elle a fait Mademoiselle Garnier.

Elle a levé la main avant de continuer :

— Un moment... L'école n'est pas finie.

— Ooooh !

Elle a rigolé, puis elle a dit :

— Bonnes vacances, les enfants, et joyeux Noël !

Dans la cour de l'école, j'ai vu Lolita. Elle vient vers moi et j'ai tout chaud dans le ventre. Elle me fait des signes et elle me sourit. Moi aussi, je souris. Elle me refait des signes, elle resourit. Moi aussi, je lui refais des signes et je resouris. Mais c'est pas à moi qu'elle fait des signes et qu'elle sourit. C'est à Pierre Pelletier. Il est dans mon dos !

— Tu me téléphones pendant les vacances ? elle demande à Pierre Pelletier.

« Et moi, M'amzelle ? » j'ai eu envie de demander. Mais je n'ai rien dit.

D'abord, j'ai glandouillé. J'ai regardé les pigeons au jardin de Belleville. Au jardin de Belleville, il y a des négresses avec leurs flopées de mômes. Elles portent des pagnes fleuris d'oiseaux, des éléphants, des zèbres. Elles sont un jardin.

Tout à coup, je vois Madame Saddock. Un Monsieur l'accompagne. Elle a pas l'air contente. Elle parle fort en agitant ses bras. On dirait qu'à tout moment, elle va lui mettre une tarte. Le Monsieur dit rien. Il marche lentement, les mains croisées dans le dos. Quéquefois, il hoche la tête comme pour dire: «Ça va... d'accord... oui, j'ai compris...»

Merde, alors! Je crois que cette femme-là, c'est pas une vraie nana. A parler comme ça à un mec, avec sa cigarette dans sa bouche et qui ne lui fait même pas honte!

Inch Allah! C'est pas chez les nègres qu'on va voir ce miracle!

Je me sautille jusqu'au café de Monsieur Guillaume. Tout le clan nègre est là. Il y a quelques Arabes assis. Ils lorgnent toutes les nanas qui passent. Ils commentent, ils rigolent. Moi, je trouve là rien de drôle.

Je pense à Lolita. Je me demande bien pourquoi elle m'a dragué pour me laisser tomber comme une vieille négresse. Il faut l' reconnaître, les femmes sont quelquefois des traîtres courants d'air. C'est pas moi qui irai démentir la légende. C'est dégueulasse, quoi!

J'ai même pas envie d'un Coca. Monsieur Guillaume propose un Fanta. C'est pas pareil. Je refuse. Je ferme les yeux. Je les ouvre. J'étais encore là. C'est obligé quand on vit.

J'entends un:

— Oooh! T'en jettes!

C'est Monsieur Laforêt. Il fait une entrée très remarquée, fringué comme un roi. Son veston est noir. Son pantalon est gris, soutenu par des bretelles. Un nœud papillon. Et un manteau griffé. Ça fait des remous car personne ne l'a jamais connu propre, rasé de près; et sentant l'eau de Cologne à trois mètres.

Il a mis les mains dans ses poches. Il est allé au comptoir en se dandinant un peu et il a dit:

— J'offre une tournée générale.

Personne n'a réagi positivement. C'est la stupéfaction. Je cours vers le comptoir et je dis: «Monsieur Laforêt!» en lui tendant la main. Mais j'ai le temps de rien faire qu'y a une grosse négresse avec les dents plein la bouche et une culotte rouge qui lui saute dessus. Et avant que je demande qui c'est ce gros nounours, elle dit:

— Monsieur Laforêt, que je suis heureuse de vous voir! Monsieur Kaba m'a tant parlé de vous qu' c'est tout comme si je vous connaissais depuis toujours.

Monsieur Kaba, lui, reste un peu en arrière avec le sourire.

— Voici Rosette, il fait. C'est la nouvelle.

— Salut tout le monde, elle dit.

Puis elle passe une main autour du cou de Monsieur Laforêt. Elle le regarde en levant la tête comme si elle le trouvait très beau, ensuite elle se hisse sur ses pieds et l'embrasse.

Je regarde Monsieur Guillaume du coin de l'œil. Il a l'air que le ciel est tombé sur sa tête. Je ne suis guère mieux.

— C'est mon cadeau de Noël que je vous ai apporté pour vous féliciter, fait Monsieur Kaba.

Il fume son gros cigare. Il envoie la fumée dans le plafond. Il regarde le sillon que la fumée dessine dans l'air. Il rigole un coup, puis il continue :

— Quand un homme bosse tout le temps, il a besoin de quéqu'chose pour se retaper. Surtout l'hiver.

Monsieur Kaba s'approche de Monsieur Laforêt, cigare au sourire. Il lui prend la main d'un geste affectueux.

— Nous avons des choses à nous dire, hein, vieux frère ? Il se tourne vers Rosette : Laisse-nous donc seuls un moment, ma grande. Va, allez... Et sois sage !

— C'est ça ! qu'elle fait, l'air de pas aimer.

Ensuite, il se retourne vers Monsieur Laforêt.

— Nous voilà des hommes d'affaires à présent, oui, des hommes d'affaires. Bon, qu'est-ce qu'on dit ?

Personne semble remarquer que j' suis là. Je m'assois. Je suis extrêmement bien assis. J'en demande pas davantage. A ce moment-là, il y a un groupe de Blancs qui sont entrés et ils ont crié :

— Personne ne bouge ! Police !

Quelqu'un a dit : « Merde ! »

— Tout le monde nez contre le mur !

Monsieur Kaba jette son verre par terre et plonge ses mains dans ses poches en même temps. Heureusement que j'ai eu le temps de me cacher sous une table sinon, il me passait dessus. Le temps que je replonge le cou pour voir c' qui se passe, il était déjà à trois pas de la porte.

— On bouge pas, j'ai dit, fait l'inspecteur. Retournez-vous gentiment, nez contre le mur !

— Jamais de la vie ! crie Monsieur Ndongala. J' suis un honnête citoyen, moi !

— Qu'avez-vous répondu à l'inspecteur Harry ? demande un flic en lui braquant son flingue sur le nez.

— D'abord, je veux connaître le chef d'accusation.

— C'est un plaisir..., dit l'inspecteur. Fouillez tout le monde.

— Patron, nous tenons notre homme, crie un flic en attrapant Monsieur Laforêt par le collet.

— Vous avez de drôles de zigotos dans vo'te bazar, fait l'inspecteur en regardant Monsieur Guillaume.

— Qu'est-ce que vous voulez, Inspecteur, je suis pas là pour enquêter ! Avec des flics comme vous, les Français peuvent dormir sur leurs deux oreilles.

Là, c'est moi qui peux plus raconter la suite. J'ai des larmes plein les yeux et comme une boule dans le gosier. Le pauvre Monsieur Kaba se fait tout petit et tremble comme une feuille.

M'amzelle Rosette se lève d'un bond et court pour se réfugier au comptoir. Un flic l'attrape à bras-le-corps.

— Hé, doucement...

Elle lui met une gifle. Le flic la jette par terre et la tabasse.

Il se redresse et dit :

— C'est vraiment une folle dangereuse, celle-là.

— Oui, Monsieur l'Inspecteur, il répond mon oncle Kaba. Ça fait des années que j' lui dis de faire attention à ses nerfs. Vous savez comment sont les femmes...

— Ouais. Vous allez nous expliquer cela au poste. Embarquez tout le monde.

Ils ont fait sortir tout le monde, les mains sur la tête. Seul Monsieur Ndongala lançait les poings en l'air et hurlait :

— J' vais en référer à mon avocat !

— Ouais, c'est ça. Avancez !

Tout à coup, il s'aperçoit que je suis là.

— Hé, le morpion, qu'est-ce que tu fous là, toi ? File !

Moi je sors et puis je les regarde jusqu'à ce qu'on les emmène.

— Les hommes sont tous cinglés, dit mon papa. Comment voulez-vous que ça marche sur la terre quand tu peux pas t'offrir un verre sans que la police t' mette au trou ?

On est tous autour de la table après le repas du soir, moi, mon papa, Monsieur Guillaume et mon oncle Kouam.

108

— Faut faire quéqu'chose, il dit mon papa, et vite…

— Mais quoi ? demande Monsieur Guillaume, un peu paumé parce qu'y a plus de clients pour s'occuper.

— Faut faire sauter le commissariat, il propose mon oncle.

— Dis pas de conneries, réplique mon papa. Laisse-nous réfléchir.

— J'ai une idée, dit Monsieur Guillaume, si on leur pointait un pistolet sur le crâne ? Il se gratte le ventre et il fait : Peut-être qu'avec un canif…

— Ça marche pas, dit mon papa. Ils s'en foutent, des nègres, alors… En descendre deux, trois ou dix, ça leur coûte rien, vous pensez !

Moi et les femmes, on se tait. Je sais pas à quoi elles pensent, moi je pense à Blanco, mon cheval que j'ai inventé dans ma tête. Je galope sur son dos jusqu'à la fin des maisons, jusqu'à la fin des gens. Il n'y a plus de maisons, il n'y a plus personne, sauf le bruit du vent et l'arôme des arbres. Devant moi, il y a une prison. On y enferme les gens qui n'ont rien fait de mal. Je m'arrête contre la cour. Je me mets debout sur Blanco, je saute dans la prison. Le chef de la prison ressemble à un Monsieur imposant qui travaille à la mairie. Le vent souffle, entre dans la prison comme un nuage de feu, et les gens sont libres.

— Qui c'est le commissaire principal ? il demande mon papa.

— Jérôme Dellacqua, dit Monsieur Guillaume.

— Il aurait pas un frère qui s'appelle Alain ? demande ma tante Mathilda.

— Ouais, il fait Monsieur Guillaume. Il est marié avec une fille qui s'appelle Nathalie, j' crois.

Ma tante Mathilda baisse la tête et marmonne quelque chose.

— Qu'est-ce que tu dis?

Ma tante devient toute rouge et marmonne encore plus bas.

— Il est ton quoi? demande mon oncle.

— Mon ex..., ma tante fait.

Tout le monde la regarde comme si elle n'avait pas tout dit.

— Enfin... je l' connaissais avant...

— Espèce de traînée! crache mon oncle.

— Toi, la ferme! dit mon père.

Puis il se réadosse sur sa chaise. Il casse une noix de cola. Il la mâche. Il crache *floc-flac*. Il regarde tout le monde, puis ses yeux s'arrêtent sur ma tante Mathilda. Il la regarde sous toutes les coutures et il dit:

— Eh ben, c'est toi.

— Moi? demande ma tante avec des yeux de cacahuètes.

— Ouais. C'est toi qui dois y aller.

— Où?

— Voir le commissaire, c'est ton mari après tout...

Mon oncle lui jette un regard de crocodile. Mon papa toussote comme s'il n'était pas à son aise et ajoute:

— Eh bien... je veux dire ton ex, quoi.

— Mais qu'est-ce que je vais lui dire?

— Tu lui dis que s'il lâche pas tout le monde immédiatement...

Là, le père finit pas sa phrase...

Monsieur Guillaume passe sa langue sur sa bouche, et dit, le doigt en l'air:

— Ben, dis-lui que tu vis avec un nègre, que tu connais bien ces sauvages-là, que pour son bien il ferait mieux de les libérer sinon il risque d'avoir tous les terroristes noirs et arabes sur le dos.

— J' vais prier pour toi, pour que le bon Dieu parle par ta bouche, dit M'am.

Inch Allah.

Le lendemain, ma tante Mathilda s'est pomponnée et elle est partie voir le commissaire. Elle n'est pas partie depuis dix minutes qu'on voit toute la tribu nègre débouler. Les yeux délabrés, l'haleine pourrie, les cheveux dégueulasses, mais ils tiennent le coup.

— Mais dis donc, fait mon papa, elle a été drôlement rapide, ta femme…

— Ouais, il répond mon oncle, l'air pas dans son assiette.

— Nous sommes libres! qu'ils crient tous en rigolant.

Monsieur Kaba s'approche et demande à mon papa:

— T'aurais pas par hasard un morceau de cola? Ces connards m'ont piqué tous mes cigares.

Mon papa lui donne un morceau de cola.

— Alors?

— Alors quoi? demande Monsieur Kaba.

— Comment ça s'est passé?

— Bof, ils ont posé des tas de questions. J' les connais par cœur à force, tu sais bien. Ils nous ont mis au trou. Et ce matin, ils nous ont libérés.

— J' vois pas Monsieur Laforêt, fait mon papa.

— Ils l'ont gardé.

— Raconte.

— Eh bien, on a trouvé sur lui des papiers d'un mec qui a porté plainte pour vol. Alors, ils l'ont gardé.

— Merde !

— Y a pas de quoi. C'est entre Blanc-Blanc. Il peut s' tirer avec trois mois ferme.

Ensuite, tout le monde a rigolé. On s'est serré les mains. On a dansé, puis on a trinqué à la santé de tout le monde. J'ai jamais vu de pareils fous.

Deux heures plus tard, ma tante Mathilda revient. Elle est défraîchie. Ses lèvres sont blanches et pourtant elle s'était bien barbouillée de rouge à lèvres avant de partir. Après tout, si elle a tellement bavardé avec le commissaire…

— Hé, ma chérie, crie mon oncle, regarde qui sont là ?

Quand elle voit la tribu nègre, elle ouvre les yeux comme un ballon. Elle ouvre aussi la bouche, mais elle la referme aussitôt.

— Félicitations, ma chérie, il dit papa en lui claquant un baiser sur la joue. Tu as fait du bon boulot.

— Ouais, fait Monsieur Guillaume. T'es un génie, p'tite. Vous lui devez une fière chandelle, les gars…

— Merci ! merci ! crient les nègres.

Mais elle a pas l'air d'entendre. Elle tire une chaise et s'assoit à côté de moi.

— Ça fait longtemps qu'ils sont là ? elle me demande.

— Oui, ma tante, j' dis.

Elle respire un grand coup et bredouille quelque chose.

— Qu'est-c' que tu dis? demande mon papa.

Elle baisse la tête et prend son visage dans ses mains. Puis elle crie:

— Le salaud!

Je marche dans les rues. J'invente le passé.

L'arbre dans la cour, le chat de mon voisin, la bougainvillée qui grimpe contre le mur, les femmes, les enfants qui courent dans les concessions et le hamac tendu entre deux manguiers. Des souvenirs d'un temps effacé par la torpeur sociale et que j'ai vécus.

Toi l'ami, tu passes et tu ne me vois pas. C'est vrai que je n'existe pas. Je suis une transparence, une feuille de papier que le vent emporte. Une voiture a failli me ramasser. Le chauffeur a grogné. Il a levé un bras vengeur. Il a envie de détruire cette feuille qui lui échappe. Sa rage, je l'ai dissoute dans un bain de rire.

J'ai bien envie de te raconter mon pays autrement que ce que tu as lu dans les livres. Je sais que tu ne me croiras pas. Et pourtant je souffre et ne sais plus où mettre mon angoisse.

Je cours me réfugier dans ce cercueil métallique, MA MAISON.

Les femmes guettent mes pas. Elles ouvrent la porte sans que j'aie à frapper. Je ne m'étonne jamais de cette porte qui s'ouvre magiquement. J'ai l'habitude et je sais que ces guetteuses d'amour sont toujours à l'affût. Oui, et à tel point

*que leurs yeux scrutateurs de ma santé et de mes
soucis m'indisposent parfois. Quelquefois je leur
en veux de trop me surveiller.*

*Elles. Les femmes. Elles savent m'inventer, elles
savent aussi m'adopter, me réinventer. Moi qui ne
suis qu'un souffle, une folie ancrée dans les crânes
des imbéciles... Et dans une envolée de paroles
murmurées, les femmes me refont. Leurs doigts
s'écartent, s'installent dans mes cheveux. Je
voyage sur leurs corps qui s'ouvrent à mes ten-
dresses et je m'endors, dans les bras ouverts du
ciel. L'exil s'éloigne.*

(Abdou Traoré)

Madame Saddock, comme indiqué rien qu'à la
voir, on sent que c'est une casse-couilles de premier plan et que d'ailleurs elle sent pas la rose
quoiqu'elle soye la femme la plus parfumée de
Belleville. C'est vrai, quoi! Qu'est-c' qu'elle a à
vouloir prophétiser la bonne révolution féminine
qui a fait beaucoup de bien ici en France et qui
est une catastrophe naturelle chez les immigrés?
On a beau dire, les femmes françaises ont souffert de racisme sexuel. Elles ont leurs raisons!
Or, Soumana et M'am n'ont jamais eu à se
plaindre d'agressivité sexuelle. Il n'y a jamais eu
de drame ni de cadavre. Alors, je ne vois pas bien
c' que Madame Saddock peut attendre. Enfin,
comme il dit mon papa, avec les femmes, on sait
jamais...

Et justement, Madame Saddock ne nous lâche
plus! Elle vient voir les femmes deux fois par
semaine et leur apporte des cadeaux: des par-

fums, des bonbons, des gâteaux, des rouges à lèvres... Mais, à Soumana, c' qui lui convient le mieux, c'est les parfums parce que ça fait oublier les kilos en trop. Il faut comprendre quand on peut. Mais tout se passe pas comme ça. Vaut mieux commencer par le début.

D'abord, Madame Saddock s'assure que mon papa n'est pas là, vu qu'il lui en foutrait une s'il la chopait en mauvaise influence. Alors, elle se tient sur le trottoir d'en face. Elle met deux doigts dans sa bouche et elle siffle. Soumana ouvre la fenêtre et lui fait signe de monter. Ensuite, Madame Saddock entre et s'assoit dans le fauteuil de mon papa où elle s'appuie à la porte les mains croisées. Elle explique aux femmes leurs droits et tout le tartouin-bidune-pour-femme-mal-baisée. Quand elle parle, elle fait des gestes, s'émeut et finit même par se fâcher sérieusement. Pas parce qu'elle est furieuse, mais parce qu'elle veut dire plus de choses encore et que mes mamans ne peuvent pas toujours comprendre avec leurs moyens de sous-quartier. Il lui faudrait des mots en diamant pour fourrer dans leurs crânes toutes les merveilleuses choses de la vie, croit-elle. Si vous voulez mon avis, cette femme-là est en état de manque affectif. C'est ce qu'il y a de pire pour l'humeur. Et la Soumana l'écoute religieusement et lui fait des confidences, même que c'en est une honte. Elle dit à Madame Saddock que mon papa est un vaurien, un trousseur, un fossoyeur, et qu'il a mochement compromis ses jolis rêves, qu'elle en a marre ! Mais vraiment marre d'être traitée comme ça. A l'écouter, on dirait qu'elle est la championne des mauvais traitements et qu'elle mérite le prix Nobel de la femme la plus bafouée du monde. M'am dit pas grand-chose. Elle reste accroupie sur sa natte comme un baobab géant à mâchonner son cure-dent. Et Madame Saddock se chagrine. Elle crie :

— A votre place, j'irais là, je ferais ci, je ferais ça.

Et justement, elle n'est pas à leur place, elle n'a pas à s'occuper de c' qui la regarde pas. Les mariages en Afrique, elle sait pas c' que c'est. Elle comprend rien à notre système de vie. Et l'autre jour, j' me suis fâché et j' lui ai dit :

— Je dirai tout à mon papa.

— Qu'est-ce que tu diras à ton papa ? Madame Saddock a demandé en rigolant, mais j'étais pas pour la bonne humeur et j'ai répliqué :

— Je dirai à mon papa que la Soumana dit des gros mots quand il est pas là.

— C'est pas beau de répéter c' qu'on entend, Loukoum.

— Je lui dirai quand même, j'ai fait en boudant.

— Et pourquoi ?

— Parce que c'est pas beau de dire des méchancetés.

— Et alors ?

— Ça coûte rien d'être gentil, j' lui ai dit.

— Mais il n'est pas gentil, ton papa.

— Si.

— Il est méchant avec Sou.

— C'est pas vrai ! Et même je lui dirai.

— Tu ne diras rien du tout ! qu'elle a grondé Sou. Si tu dis un seul mot, alors moi je lui dirai que tu lis ses magazines.

— Parfois, je regarde les images. J'aime regarder les vêtements. Ils sont élégants.

— De quel magazine parles-tu? elle a demandé Madame Saddock.

— Des photos. Des femmes nues! réplique
Soumana.

— Le cochon! dit Madame Saddock. Quelle
merde!

— Il faut pas dire merde, j' lui ai fait, c'est des
gros mots.

Mais elle s'est levée en disant:

— Merde! Merde! Merde!

Puis elle est allée vers la porte, elle s'est retournée, elle m'a regardé et elle a encore dit:

— J' dis des gros mots si je veux, Loukoum. On
vit en République.

J'étais en rogne. Je savais pas quoi faire. Alors,
je me suis penché comme un cow-boy, j'ai pointé
vers elle le doigt avec lequel il faut pas montrer
et j'ai fait pam-pam! et je l'ai tuée.

Personne n'a réagi pendant quelques minutes.
Puis Madame Saddock a dit:

— En voilà un que j'aimerais pas que ma fille
épouse.

M'am l'a regardée, regardée, reregardée, puis
elle a dit:

— Quéquefois, on croit qu'on comprend, mais
c'est pas si simple. Et Allah n'est pas fou, vraiment!

Cette femme-là est vraiment une sainte!
Inch Allah!

Finalement, j'ai rien dit à mon papa pour Madame Saddock et sa mauvaise influence. Il ne m'a rien demandé, alors… Mais moi je suis certain que ça me pend au nez et qu'un de ces jours ça va nous tomber dessus sans avertissement.

J'accompagne M'am faire des courses dans les grands magasins à l'Opéra. Il y a un cirque en vitrine. Les parents viennent avec leurs mômes gratuitement. La vitrine est tout entourée d'étoiles plus grosses que nature. Elles s'allument, elles s'éteignent en un clin d'œil. Au milieu du cirque, il y a des cosmonautes. Ils vont jusqu'au ciel, ils reviennent sur terre en faisant des saluts aux passants. Il y a un Père Noël à l'affiche avec des jouets. Il ressemble au bon Dieu. Il est blanc avec une grande barbe. Je regarde le Père Noël, c'est comme si j'étais au ciel. Avec les anges tout blancs, les cheveux blancs, les yeux blancs qu'on dirait des albinos. Les anges frappent leurs grandes cymbales et il y en a un qui souffle dans sa trompette. Dieu ouvre la main. Il y a plein de jouets qui tombent.

Je regarde, je regarde, je regarde. Je veux pas m'en aller. Mais M'am me tire par mon anorak et dit :

119

— Dépêche-toi, ton père y va pas tarder à revenir.

Nous repartons. Il y a plein de monde partout, habillé comme pour travailler. Ils courent. Ils se bousculent. Ils se cognent. Ils s'excusent. Quéquefois les paquets d'une dame glissent et s'éparpillent sur le sol. Elle se baisse pour les ramasser. J'entrevois ses jambes.

A un moment, je lève les yeux, je regarde, il y a un attroupement. Je suis curieux de savoir c' qui se passe. Je me demande bien si… Et M'am se dirige à l'endroit où s'agglutinent des gens comme des mouches. Je veux y goûter. Happer les pensées.

Il y a un nègre debout sur une estrade. Il est africain. J' pense bien qu'il est de Sarcelles. Je sais pas où c'est mais mon ami Ahmidou que vous ne connaissez pas m'a dit qu'à Saint-Denis, on met des nègres tous ensemble pour les répertorier et un jour, on les jette dans les charters et on les renvoie au Mali.

Le nègre tient un drapeau blanc dans ses mains. Des dizaines de personnes l'écoutent. Le nègre dit que les nègres ne savent pas qu'ils sont nègres. Vous voulez tous être des Blancs, mais les Blancs voient bien à votre gueule que vous êtes pas du terroir. Antillais? Ça veut rien dire! Nous sommes tous africains… L'Afrique, c'est nos racines. Personne ne peut renier ses origines sans aller à sa perte. L'orateur hurle. On dirait que quelqu'un lui cherche querelle. Il crie :

— Réveillez-vous! Défendez-vous! Le Monstre est là! Il va tuer vos enfants! Il va violer vos femmes! Il a un visage : le visage du Front national! Réveillez-vous et soyez tous noirs! Plus

120

d'Africains! Plus d'Américains! Plus d'Antillais!
Tous des nègres! Apprenez un chant nouveau!
Chantez l'hymne à la solidarité!

Le nègre hurle. Il doit avoir les mêmes ans que
Monsieur Ndongala. Il est bien vêtu. Est-ce que
les nègres croient qu'ils sont pas noirs? Il a l'air
de me regarder. Il me regarde. Il me montre du
doigt et il dit:

— Femmes, n'écoutez pas les propagandistes
du planning familial. Faites des enfants! Repro-
duisez-vous! Car quand le grand jour viendra,
vos enfants vous sauveront! Il sortira des milliers
de nègres de...

J'ai pas entendu la fin. M'am a dit:

— Viens, on s'en va. Les paquets commencent
à peser lourd.

On a pris le métro. Quand nous sommes arrivés à la maison, M'am a jeté les paquets et s'est
assise sur la natte et elle a raconté à la Soumana
c' que le nègre disait. Soumana s'est mise à pleurer.

Et elle pleure. Son visage est tendu. On dirait
qu'il va se déchirer comme un vieux chiffon.

J' sais pas quoi faire. M'am lui prend la main et
je la regarde pleurer. Ensuite, elle se fatigue. Elle
pleure plus. Elle bouge pas non plus. Elle a froid.
M'am la serre contre elle, et elle se met à parler!

— Il y a une chose qui fait que ma mère me
détestait, c'est qu'à l'époque, je regardais trop les
garçons. Elle a jamais supporté. N'importe quoi
où on se touche. J' me demande bien comment
elle a fait pour faire tant de gosses. Quand je
venais l'embrasser, elle détournait la tête et elle
disait: «Arrête, Maryama.»

Maryama, c'est le vrai nom de M'am. Mais

M'am, c'est plus mignon, plus maman aussi. Et ça lui va mieux.

— Mon papa aimait bien que je m'asseye contre lui, tout contre sa poitrine. Mais à elle, ça lui plaisait pas. Alors, quand j'ai connu Abdou et que j' me suis retrouvée dans ses bras, j'y suis restée. Et c'était bien bon, en plus. Mon papa voulait pas d'Abdou. Je le voyais quand même. C'était vraiment un taureau. Sur la paille, accroché à un arbre, dans les champs de mil ou de maïs, y trouvait son compte. Puis mon ventre s'est mis à grossir, grossir. Et c'est là que tout s'est gâté. Ils m'ont mise dehors. Alors, j' suis partie vivre chez ma tante à Dakar, celle qui a une vie bizarre. Ma maman disait que la sœur de ma mère, c'est tout comme moi, elle écarte les cuisses à n'importe qui. Qu'elle aime les hommes à en crever, qu'elle pense qu'à baiser, danser, manger. Elle tenait un maquis dans le Sharam. Elle fait la bouffe, elle nourrit dix mecs et elle couche avec soixante-douze. Quand j'ai eu si mal que je savais même plus où j'étais et quand l'enfant est né mort, c'est là que ma mère s'est amenée avec l'imam et d'autres notables du village pour me parler de repentir.

M'am éclata de rire.

— J'étais bien trop idiote pour me repentir, tu penses. Et puis, bon, j'aimais Abdou, il m'aimait, c'était bon, c'est tout.

M'am n'arrête plus de parler maintenant.

— A l'époque, Abdou s'amusait bien. On allait partout bras dessus, bras dessous, on s' baladait pendant des heures, on revenait, on s' jetait au pieu. Et drôle avec. Il me faisait rire tout le temps. Mais les mômes ne venaient pas. Même

122

pas un retard de règles pour me faire croire que. Pourtant, ça marchait drôlement bien entre nous. Et puis tu es venue. J'ai eu trop de surprise pour que ça me fasse mal. Il y a eu des enfants. C'est tout c' qu'il me fallait. Ç'a plus été pareil. Quelquefois, j' me demande c' qui a bien pu lui arriver. Comment ça se fait qu'il n'est plus drôle aujourd'hui ? Comment ça se fait qu'il m'emmène plus ? Qu'il court tout le temps après les femmes ? Oh, Seigneur ! Ma petite Sou, j' me demande bien c' qui a bien pu arriver à l'homme de ma vie.

Mais la Soumana parlait pas. C'est comme si elle était morte du dedans. Puis M'am s'est arrêtée de parler. Elle lui a touché le front. Elle a dit :

— J' crois bien que t'as de la fièvre.

M'am lui a donné un cachet et elle l'a mise au lit.

Puis elle est partie à la cuisine préparer le dîner.

C'est à ce moment-là qu'il est arrivé quelque chose de terrible. Vraiment. On a sonné à la porte. Et j'ai été ouvrir.

Il y a là une fort jolie femme et même attrayante, sauf ses yeux qu'on dirait ceux d'un chien qui vient de recevoir un coup de pied dans le cul. Je la connais pas, je l'ai jamais vue, même pas comme protégée spéciale de Monsieur Kaba. Elle n'est pas sombre. J' veux dire qu'elle est pâle et respire très vite, avec une main sur le cœur vu que les escaliers ne pardonnent pas à un cœur sans habitude. Elle porte un manteau en peau de quelque chose comme la fourrure. Mais c'est pas de la vraie fourrure. Elle est nippée en houri. Une jupette en cuir noir, très courte, avec un petit blouson qui laisse tout son ventre dehors comme une créature. Une créature c'est comme elle dit M'am, une fille-de-rien-du-tout. Elle me regarde comme si elle cherchait quelque chose dans mon nez et j' lui rends la monnaie de sa pièce, car il suffit de voir cette femme-là, avec ses mamelles, nom d'une pipe! pour comprendre que ça va sauter et vous tomber dessus de tous les côtés.

— Monsieur Abdou, c'est bien ici? elle demande.

Il faut toujours être prudent car les gens que vous connaissez pas ne grimpent pas cinq étages pour vous apporter des honneurs et vous faire plaisir. Alors, je fais le sourd.

— Qui? j' demande.

— Monsieur Abdou.

Je réfléchis un temps. Ça peut bien être une assistante sociale déguisée, alors il faut gagner du temps.

— J' connais pas de Monsieur Abdou.

Je veux refermer la porte.

— Attends, p'tit, elle dit.

— Qu'est-ce que vous voulez encore?

Le temps de me répondre, voilà que M'am surgit avec les cheveux poisseux, mal coiffés, et de la farine plein les mains. Elle demande:

— Qui c'est, Loukoum?

— J' sais pas, je réponds.

M'am regarde la créature comme si c'était un tas d'ordures. Puis elle sourit et elle dit:

— J'ai déjà donné les étrennes à tout le monde.

Elle claque la porte et s'adosse dessus en poussant un «ouf!»

On sonne encore.

M'am ouvre. Elle est colère.

— Mais enfin! J' vous dis que j'ai déjà donné les étrennes... Allez... J'ai un tas d' trucs à faire avec les fêtes qui approchent...

— J'ai pas pour longtemps, elle fait la créature. J' veux juste voir Monsieur Abdou.

— Revenez un aut'e jour. Il est pas là.

Mais la créature insiste. Une vraie pot de colle. Elle dit :

— J'ai confié mon fils à votre mari il y a dix ans. Je m'appelle Aminata Kouradiom.

Je manque de tomber tellement ça me fait un coup. Je serre la poignée très fort. Finalement, les mains me font mal, alors je laisse pendre mes bras. Je peux pas sortir les mots que j'ai sur le cœur. M'am la regarde sans une parole comme si on venait de lui couper la langue. Et son estomac n'arrête plus de faire *gloo-gloc*. Elle pense même pas à s'excuser tellement elle est dépassée. Finalement, elle passe les mains dans ses cheveux pour se coiffer et elle s'en met partout de la farine. On dirait une vieille folle du Mali. Elle dit :

— Entrez, entrez...

La créature entre, les mains dans les poches. Maintenant son visage a repris de la couleur. Il est noir, aussi noir que M'am sous sa plaque de poudre. Et son rouge à joues est très voyant. Elle regarde autour d'elle avec des yeux qui brillent et un gros nez plat. Elle regarde bien la maison de la tête aux pieds et elle glousse :

— Ça alors, on peut pas dire que c'est un palais !

M'am est partie se débarbouiller. Elle a essayé de s'habiller comme une vraie femme blanche, sauf que c'est de la friperie. Elle a déniché une robe amidonnée et repassée, et un mouchoir blanc. Ensuite elle sourit à la créature et elle demande :

— Que puis-je pour vous ?

— M'dame, je suis une femme malheureuse.

— Et qui l'est pas? elle dit M'am en regardant le ciel. Nous le sommes tous.

— M'dame, j'ai confié mon fils à vot' mari il y a dix ans. Pendant dix ans, je m' suis défendue comme j'ai pu après le grand malheur.

— Et comment qu'il s'appelle, vot' fils?

— Mamadou... Mamadou Traoré.

Moi, je tremble de dedans. J' sens rien... J' pense même que je suis mort.

— Et la date de naissance de vot' fils, c'est quand?

La bouche de la créature tremble. Sa mâchoire s'affaisse. Il y a une larme qui sort de ses yeux.

— M'dame, vous connaissez la tragédie des jeunes filles en Afrique. J' pouvais pas faire autrement. Aujourd'hui, j' veux revoir mon fils, lui demander pardon.

Ensuite, elle lève le regard sur moi comme si elle cherchait quelque chose qu'elle a perdu. Puis elle dit :

— J' peux pas vivre sans lui.

— Bien sûr que vous pouvez pas vous passer de lui. N'empêche que Mamadou vous a rapporté une maison construite par mon mari et pas moins de cent mille francs C.F.A. De quoi vivre comme une reine.

La créature pousse un cri et se met à chialer comme une négresse en deuil. M'am ricane. Je l'ai jamais vue ricaner comme ça. Et ça me fait froid au dos.

— A part ça, M'amzelle, comment vont les affaires?

— Oh, bien, dit la créature. Je me défends et je travaille, faut attendre un peu puisque j' viens juste de commencer. J'ai pas encore, comme qui dit, la main.

— Vous tapinez, si j' me trompe pas ? Félicitations.

— Merci, Madame. J' suis aussi chanteuse de mon état.

Ensuite, elle fouille son sac et sort un bout de carton rouge. Ça me démange de voir c' qui est dessus. Alors je m'approche et je tords le cou. Ça montre Aminata à côté d'un piano, avec une main sur la hanche. Elle porte une grande perruque blonde. Elle a la bouche grande ouverte, on voit toutes ses dents. Elle n'a pas l'air de se biler ni rien. C'est écrit sur le papier :

LE SAMEDI 2, VENEZ TOUS ÉCOUTER
LA NOUVELLE REINE DE LA CHANSON MALIENNE...
ET SON COUP DE REINS LÉGENDAIRE.
SOYEZ NOMBREUX.

Allah ! Ça peut pas être ça, ma maman. J'ai pas envie de chanter les mères pleines de grâce, saintes sentinelles... Non, cette femme peut pas être ma tendre maman, cette traînée qui montre ses nichons comme ça... Non...

— Et maintenant, j' veux reprendre mon fils.

— Hé là, pas si vite, qu'elle dit M'am. Voilà des années que vous avez pas donné signe de vie...

— Signe de vie, signe de vie, non mais vous voulez rire !

— C'est la dernière chose que j' voudrais faire, M'amzelle. Vous avez abandonné vot' fils il y a dix ans comme un vieux chiffon. Et un matin vous débarquez, et hop ! faut qu'on vous le rende.

C'est pas si simple, M'amzelle ! C'est comme une maison, si vous voyez de quoi j' veux parler...

— J' peux payer.

Et elle commence à farfouiller dans son sac.

— C'est pas une question d'argent, M'amzelle, dit M'am.

Ensuite, elle jette le regard en brousse comme si c'était rien du tout.

— M'dame, j' sais pas pourquoi vous parlez sur ce ton. Ça me plaît pas du tout ! J'ai bien confié mon fils à vot' mari il y a dix ans avec promesse écrite qu'il me le rendra dès que possible. Aujourd'hui, je viens reprendre mon fils, c'est mon droit.

— Ça existe pas de droit, M'amzelle, j' le jure, au nom d'Allah. Y a que des devoirs et on peut pas dire que vous accomplissez les vôtres.

— On a un accord avec des documents.

— Moi, les documents qui prouvent les choses ne m'intéressent pas. Je rentre pas là-dedans. Attendez mon époux et vous allez parler. J' vous sers quéqu' chose ?

— Un scotch, s'il vous plaît.

— C'est pas permis, M'amzelle. Mais un bon thé bien de chez nous, y a pas mieux pour réveiller un taureau.

M'am sourit et se lève. Elle revient quelques minutes plus tard avec un thé chaud. La créature boit, elle dépose sa tasse et elle dit :

— Merci, M'dame, vous êtes très gentille.

— Pas de quoi, j'aime bien me rendre utile. Comme j' le peux.

— Pourtant, vous avez dit à Abdou de pas m'épouser.

— J'ai pas dit ça.

— Mentez pas.

— Ben enfin, je l' pensais pas pour de vrai.

— Alors, pourquoi que tu lui as dit? elle demande à M'am en la regardant droit dans les yeux.

— Parce que je suis une gourde. Parce qu'à l'époque j'étais jalouse de toi, et que tu faisais des tas de choses que moi j'y arrive pas.

— Ça veut dire quoi, ça?

— Tu lui as fait un fils, voilà tout.

Et elles restent là à se regarder, puis elles baissent la tête.

— Mais j'ai été bien punie, dit M'am. Ça a rien changé du tout, au contraire. Maintenant, c'est un vrai chien.

— Le bon Dieu aime pas quand on est méchant.

Et là, leur bavardage prend une tout autre tournure.

— Au fond, tu m'as rendu un grand service, dit Aminata. J' l'aimais pas, j'avais pas de sentiment pour lui, il me plaisait même pas. Y a eu le môme, voilà tout. Je t'en veux pas. Au fond, Abdou est un faible. Son père lui a dit que j'étais une traînée. Son frère lui a dit pareil. Il a même pas cherché à me défendre, il est venu te voir. T'as dit non. Et il t'a sauté dessus et il t'a tout foutu sur le dos.

La créature s'arrête un petit moment et puis elle continue:

— J'ai eu un grand amour par la suite. Son père a dit non aussi. Il a été épouser une autre femme, Bintou, qu'elle s'appelle. J'y croyais pas. J' pensais qu'un amour comme le nôtre, ça allait être dur pour l'enterrer. Parce que le nôtre, on

130

pouvait pas faire mieux. Je me suis battue. J'ai été méchante moi aussi. J'allais raconter partout que j' me foutais pas mal avec qui il était marié, je coucherais avec lui quand même. Et je l'ai fait bien sûr. On a tellement baisé tous les deux, et on s'est tellement pas cachés de le faire que c'en était un scandale. J'ai été à l'école avec Bintou. Elle était jolie, tu sais. Avec des grands yeux comme la lune et une peau noire, brillante qu'on dirait du satin. Quéquefois j' me demande pourquoi je lui ai fait tant de mal. Des fois je laissais pas Fall — c'est comme ça qu'il s'appelait — rentrer chez lui pendant des semaines. Et quand Bintou a eu des enfants, un jour, il a tout arrêté à cause qu'au travail ça faisait jaser tout le monde. Et son patron, un Blanc catho, ça lui plaisait pas.

» Un jour, il est venu m'expliquer qu'il fallait arrêter, parce qu'il pouvait pas tout perdre pour une femme. J'ai tout essayé pour le retenir. Ça a pas marché. Tu vois, moi aussi j'ai été bien punie. Tout c' que j' veux, c'est que Dieu me pardonne et me rende mon fils.

Elle se tourne vers moi et elle demande :

— C'est lui ?

Et sans attendre la réponse de M'am, elle me saute dessus. Une vraie furie. Elle m'embrasse tellement fort, dans une étreinte tellement violente, que j'en perds pied. Puis elle dit :

— Dès que je l'ai vu, j'ai su que c'est lui. C'est pas croyable comme il ressemble à mon papa, et à moi aussi. C'est encore plus mon portrait que moi. Il est à moi. Mon cœur l'a senti. Je l'appelais Doudou à l'époque. J'avais brodé son nom sur toutes ses brassières. Avec aussi plein de fleurs et d'animaux. J'en ai toujours sur moi partout où j' pars. Il avait six mois quand Abdou l'a emmené… Oh! Seigneur, merci! J' savais pas qu'un jour je le reverrais.

Et voilà qu'elle recommence à chialer.

— J'ai prié tous les jours, dit la créature.

— Dieu, il écoute toujours, dit M'am.

— J' le crois maintenant. C'est à Dakar qu'il m'a donné signe. J'ai rencontré une sœur d'Abdou, Amy, qu'elle s'appelle. Elle est dans le métier. C'est elle qui m'a donné les coordonnées d'Abdou.

A la fin, j' me suis quand même dégagé. J' voulais plus entendre c' qu'elles avaient à se dire. Je savais même plus où j'en étais. C'est vrai qu'au début, j' voulais bien voir la figure de ma maman et maintenant, je sais plus. J' me suis regardé dans un miroir. Je sais pas quelle tête faire. C'est des moments comme ça qui nous font penser vraiment que c'est pas l'homme qui a créé le monde. J' me demande bien si toutes ces femmes qui parlent de Dieu, d'amour, de sacrifice ont réellement réfléchi à ce qu'elles disent.

Oh! l'ami, la catastrophe a sonné à ma porte.

Les femmes se sont vidées, à mon insu. Elles ont ôté leurs pagnes et revêtu leurs corps de mousseline. Elles ont ôté les poils sous leurs aisselles et rasé l'angle du pubis. Plus rien n'est nommé. Je ne reconnais plus la géographie du pays dessiné dans MA MAISON. *Pitié... Laissez les fesses comme elles sont, fortes et musclées. Laissez les chairs déborder, elles sont grosses mais point laides. Teignez les poils d'argile mais laissez le sexe vivre librement et le soleil en s'y reflétant m'indiquera les saisons.*

Et elles prennent l'initiative. Elles me font l'amour et j'ai honte. Elles empalent d'amour et de volupté ce petit corps tourmenté. Depuis quand, l'ami, dans quel pays gouvernent les femmes? Je suis un champ viril, n'est-ce pas, l'ami? Il n'y a pas de doute sur l'apparence des choses, c'est-à-dire mon sexe, hein, dis, l'ami?

La nostalgie m'épuise et m'effiloche. Quand je parle de là-bas, de mon pays enfoui dans mon territoire intérieur, quand je reviens en arrière, je deviens une chose gênante, une chose aveugle et qui ne comprend rien. Elles croient que je suis devenu fou. Je suis fou peut-être. Menacé, humilié, bafoué, je ne dois pas crier ma hargne.

133

Dis-moi, l'ami, explique-moi. Dis-moi, toi dont l'épouse de démesure s'ouvre à la fureur de vivre sa vie,

Dis-moi, toi qui sublimes les continents de sa folie,

à en oublier le cri du doute,

Dis-moi si les jambes épilées, le sexe rasé est celui d'une femme ou d'un homme.

Et toi, que deviens-tu ?

Moi, je me perds.

(Abdou Traoré)

Mon papa a vu M'amzelle Aminata (j'arrive pas à l'appeler maman). Ils ont discuté longtemps. Quand elle est partie, mon papa a dit :

— La vie change, fiston. Maintenant que ta maman est revenue, elle viendra te voir souvent.

— Oui, papa, j'ai répondu comme un gosse bien élevé.

J'ai plein de questions qui me démangent le bout de la langue. Par exemple, pourquoi il lui a pas écrit ? Pourquoi il m'a menti ? Mais personne ne m'a rien demandé, alors, je la boucle.

Mon papa a encore dit :

— Elle a beaucoup souffert, tu sais. Essaie d'être gentil avec elle.

Alors là, M'am a rigolé, rigolé. Mon papa a mordu un morceau de cola, il a mâché, il a craché et il a demandé :

— Pourquoi qu' tu ris comme une vache ?

Soumana est toujours malade, malade comme j'ai jamais vu personne être malade. Elle respire mal comme des râles. Elle se lève plus. Quéquefois, papa va dans la chambre et reste auprès d'elle. Il lui tient la main. Elle se dégage et elle dit, plutôt un genre de grognement :

— Vas-tu me lâcher à la fin ? Ça va pas ? J'ai besoin moi de personne maintenant !

Sur sa couche, on dirait qu'on lui a mis la poudre de riz. Ses grands yeux brillent tout fiévreux. Et l'air mauvais. De temps en temps elle ouvre les yeux, elle voit mon papa et elle dit :

— J'ai pas envie de sentir ta sale odeur de cola.

Mais ça suffit pour que mon papa il s'approche plus. Il reste dans un fauteuil devant la télévision.

Depuis que Soumana est malade, Madame Saddock vient, elle siffle, mais personne se penche plus à la fenêtre pour lui faire des signes. Alors, elle reste là à rôder autour de la maison, comme un voleur. Je me demande bien ce qu'elle cherche.

Toute la tribu nègre est venue rendre visite à la Soumana. Monsieur Guillaume, Monsieur Kaba, M'amzelle Esther, Monsieur Ndongala, Monsieur Makossa. Ils ont apporté des biscuits, des gâteaux et aussi des jouets pour les enfants. Grand-mère Kâ Balbine s'est déplacée exprès. C'est pas une vraie grand-mère, bien sûr. Mais elle est plus vieille que tout le monde. Elle est très respectée. Elle porte un dentier. Elle parle le malinké que moi j'comprends pas. Quelquefois, elle parle le français, j'comprends pas non plus.

Elle devrait avoir des sous-titres, moi personnellement j' trouve.

Ma tante Mathilda est arrivée, toute bien mise sur son trente et un. M'am prépare un aloko sauce d'arachide. Elle enlève les peaux des plantins, elle les coupe en petits morceaux, elle se tourne vers Mathilda et elle demande :

— Comment ça marche, toi et Kouam ?

— Ben, il travaille beaucoup, mais ça veut pas dire que ça va durer.

— Pour moi, il veut devenir un vrai Français.

Ma tante Mathilda se pince les lèvres et elle dit :

— Ça m'étonnerait !

Toutes mes sœurs arrivent en braillant :

— M'am, M'am, on veut de la bouillie !

M'am remplit les tasses pour nous et pour elles. Puis elle arrête le feu sous l'aloko et elles vont s'asseoir au salon. Moi, j' donne l'oreille.

— Kouam commence à me barber, dit ma tante Mathilda. Depuis qu'on est mariés, il n'a qu'une chose dans la tête, c'est de me forcer à lui obéir. C'est pas une femme qu'il veut, celui-là, c'est un toutou.

— C'est quand même ton mari. T'es bien obligée de rester avec, sans ça, qu'est-ce que tu feras ? elle demande M'am.

— Y a des tas de femmes divorcées et elles s'en tirent bien. Et puis... après c' qui s'est passé au commissariat, j'arrive pas à lui pardonner.

— Qu'est-ce qui s'est passé ?

Ma tante Mathilda baisse la tête et ne répond rien.

— Si tu peux pas l' dire à moi, à qui c'est que tu l' diras ?

— Ben, le commissaire m'a demandé de faire l'amour avec lui pour libérer les autres. Il m'a eue !

Elle baisse la tête et cache sa figure dans ses mains.

— Allah kabia ! fait M'am. Quand je pense que…

— Il a dit que sinon, les autres pourriraient en prison. Il a le pouvoir.

M'am pousse un soupir et dit :

— Inch Allah ! Kouam t'aime, même s'il savait, ça changerait rien.

Ma tante Mathilda ne dit rien pendant une minute. Elle est triste.

— J'ai plus aucun plaisir à coucher avec lui maintenant, qu'elle fait avec une tête d'enterrement. Dans l' temps, j'en crevais d'envie. Il me touchait à peine que… Eh bien, tu vois de quoi j' veux parler. Et à présent ça m'ennuie. J'en ai vraiment marre. Quand il est sur moi dans le lit, je m' dis que c'est ça c' qu'il veut, lui dessus, moi dessous. Avant j'aimais bien (elle boit une gorgée de bouillie). J' lui courais après quand il rentrait du boulot. J' tenais pas en place rien qu'à le voir lire son journal. J'avais le diable au corps. Mais plus maintenant. J' suis toujours fatiguée et ça m'intéresse plus.

— Faut pas y penser comme ça, qu'elle lui dit, M'am. Attends un peu et ça reviendra p't-être.

— Le pire, c'est qu'à mon avis Kouam ne se rend compte de rien. Il me grimpe dessus, il prend son pied pareil qu'avant. Le mien, il s'en préoccupe même pas. Il y en a que pour lui. Et les sentiments, c'est même pas la peine d'en par-

137

ler au milieu de tout ça. Des fois, j'ai envie de l' tuer.

Puis elles m'ont vu. Elles ont baissé la voix.

— J' me demande si j' vais me tirer ou pas, fait ma tante Mathilda. Tout au fond de moi, je sais bien qu' je l'aime encore. Mais en vérité, j'en ai assez. Assez !

J' comprends pas très bien c' qu'elles veulent, les nanas, et j' comprends pas non plus pourquoi les hommes ne veulent pas leur donner c' qu'elles veulent. Tant pis ! Quand j' comprendrai tout ça, j' vous écrirai.

Pour la Noël, M'am a préparé des gâteaux, des crêpes, des soyas de mouton. Elle a commencé très tôt le matin. Elle a dit :

— Il y aura du monde aujourd'hui !

Toute la journée, elle a été aux fourneaux. Et pendant qu'elle préparait, elle bafouillait, elle se parlait toute seule. Quand on lui posait des questions, elle lançait les bras en l'air comme ça, j' me demande si elle devient pas un peu folle.

L'après-midi, Aminata est arrivée sur son trente et un. Elle porte une robe rouge à fleurs et un chapeau noir à feutre. Elle reluit comme un meuble bien ciré, ses cheveux crépus ramassés en chignon sur le haut de son crâne. Appétissante comme du bon vin de palme. Le père a trouvé aussi, vu qu'il a mâché sa cola, qu'il l'a crachée et qu'il a dit : «Kaïe ! Kaïe !» qui est chez nous l'exclamation.

Mais elle a fait comme s'il était pas là. Elle s'est dirigée recta vers moi, elle m'a serré dans ses bras. Elle s'est mise à me caresser avec ses caresses maternelles. Elle a touché mes cheveux, tripoté mes oreilles, laissé ses bras pendre comme ça par-dessus mes épaules et ses paumes ont frôlé ma poitrine. Puis elle s'est emparée de ma main gauche, elle a examiné chaque doigt. J'ai bien essayé de me dégager, mais elle voulait rien entendre. Elle a embrassé chaque doigt, ensuite elle m'a regardé comme si elle venait de voir la Vierge Marie et elle a demandé :

— Chéri, ça te dirait d'aller voir le Père Noël aujourd'hui ?

— Ne m'appelle pas chéri, d'ac ? j'ai dit.

Là, elle a plus rien dit. Elle a regardé mon papa. Mon papa l'a regardée. Ils sont restés à se regarder tous les deux. A pas bouger, à pas parler. Des minutes et des minutes. Alors, moi j'ai pris une crêpe et j'ai été dans la cuisine. Quand je suis revenu, j'ai cru qu'ils étaient encore là. Mais non ! Aminata était dehors au petit coin, et papa en train de mettre son imperméable.

— J'emmène tous les enfants voir le Père Noël, il a fait.

— Non merci, elle a dit ma sœur Fatima.

— Et pourquoi ? a demandé mon papa.

— Pasqu'on est nègres, elle a répondu.

— Fatima, le Père Noël est de toutes les religions. Il est pour tout l' monde. Va vite te préparer.

— Alors, il est nègre, le Père Noël, papa ?

— T'occupe pas, il a dit mon papa.

Mais elle voulait rien entendre.

— Dépêche-toi, il a fait. Tu vas mettre tout l' monde en retard.

— Il est nègre, papa, le Père Noël ?

— Oui, il est nègre. Ça te va ? il a répondu finalement.

Dehors, il fait froid. Il neige pas. Juste un froid de canard. Vraiment, l'hiver devrait aller se mettre bien au chaud devant la cheminée ! Le

140

Père Noël est à la Samaritaine. Il y a la forêt magique. Avec des arbres verts, des sapins décorés et illuminés. Il y a des clowns. Ils sont comiques avec leurs gueules coloriées. J' veux bien regarder encore, mais mon papa m'a tiré par mon anorak et nous sommes allés au Père Noël. Y a des parents. Avec des mômes habillés en prince. Ils passent des commandes et font des photos. On doit faire la queue et attendre notre tour.

Quand ce fut mon tour, j'ai dit au Père Noël :

— J' veux une voiture télécommandée.

— D'accord, mon p'tit.

— J' veux aussi un Nintendo.

Et le Père Noël dit :

— Oui, mon enfant.

Puis il me prend dans ses bras et ça fait *clash!* C'est un homme qui vient de faire une photo. Il se tourne vers mon papa et il dit :

— Ça fait quarante-cinq francs, Monsieur.

Maintenant, c'est le tour de Fatima. Elle monte sur l'estrade. Elle regarde le Père Noël dans les yeux et elle demande :

— T'es un nègre et un bon musulman ?

Le Père Noël observe le silence.

— Eh bien alors ? elle insiste.

— J' sais pas, peut-être oui, j'imagine. Le Père Noël, mon p'tit, est de toutes les religions. Oui, probablement que j' suis un musulman.

— Alors, pourquoi t'es pas africain ?

— J' sais pas. Mais p't-êt' bien que les Africains voulaient pas de nous là-bas en Afrique, alors ils nous ont chassés.

Il y a eu un oh! Et tous les parents se sont mis à reprendre leurs mômes qui attendaient dans

141

les rangs. Ils avaient tous entendu. Le Père Noël a dit :

— C'est pas c' que j' voulais dire.

Mais bientôt, il n'est plus resté qu'une femme blanche avec son petit garçon et elle a dit :

— Vous avez raison, Monsieur. Nos ancêtres étaient noirs. J'ai lu dans le journal que la première Eve était noire.

Je sais pas qui c'est cette Eve-là, mais je vous jure que c'est le plus gros mensonge que j'aie entendu de toute ma vie.

Ce soir, il y a plein de monde à la maison. Ils sont heureux. Ils croient que les arbres, les fleurs, la terre, tout ça leur appartient. Les étoiles aussi. Ils sont tous assis par terre en pique-nique. Ils jouent aux cartes, d'autres au lido. Ils parlent de tas de choses, mais moi, je pense à Lolita et je m' demande bien comment les Blancs fêtent la nouvelle année. Enfin, mon papa sort son magnétophone et met des cassettes, de la musique malienne. Ça gueule à réveiller un mort.

— Que la fête commence! il dit.

Tout le monde applaudit et les gens se mettent à danser. Mais voilà Madame Zola, notre voisine, qui arrive. Elle frappe. Elle dit que la musique la dérange, qu'elle peut pas dormir. Mais elle a pas l'air de quelqu'un qui dort, vu qu'elle porte une robe grise et ses quatre cheveux qu'elle a sur son crâne viennent de quitter les bigoudis. Elle cherche pas à nuire, Madame Zola. Mais ça doit pas toujours être drôle de vivre seule avec pour seul compagnon un enfant autistique.

— Entrez, entrez, Madame Zola, dit le père en ouvrant toute grande la porte.

Elle refuse d'abord, par politesse. M'am la

regarde, ses yeux disent : « Entrez, entrez, M'am va vite vous remettre sur pied. » Et mon papa insiste. Finalement, elle accepte. Elle pénètre. Monsieur Kaba l'invite à danser et ils dansent. Après ça, Madame Zola est d'humeur ambianceuse.

— Ça fait des années que j'ai pas dansé, elle dit en rigolant.

— Profitez-en, Madame, fait Monsieur Kaba. En plus, vous êtes une excellente cavalière.

Tout ça, c'est des politesses, mais Madame Zola sourit avec plaisir et ses joues deviennent rouges comme de la tomate.

Alors, je regarde tout ça, absent. Mais soudain, il se passe quelque chose. On frappe à la porte. Et la créature (pardon, ma maman) fait une entrée très remarquée.

Elle est pas seule. Un Monsieur l'accompagne. Très correctement habillé avec costume noir, chemise blanche et une cravate. Je l' connais pas. Mais il est nègre et bienvenu dans la tribu. Elle par contre, j' peux vous jurer qu'elle brille comme le soleil. Elle porte une petite robe en diamant soutenue par de petites bretelles. On voit presque les bouts de ses seins. Et tout le monde est là à attendre que ça glisse. Mais ça tient bon. Moi, j'arrive pas à croire mes yeux. A la voir comme ça, on dirait pas qu'elle a un môme de mon âge.

— Au feu ! Au feu ! crie Monsieur Richard en plaisantant.

Puis il s'approche d'Aminata.

— Qu'est-ce que vous buvez ? qu'il demande.

— Un scotch avec des glaçons.

— Et vous, Monsieur ? il demande à l'inconnu.

144

— Pour moi, ça sera la même chose.

Là, ma tante Mathilda s'approche elle aussi, son éternel mégot dans la bouche.

— Qu'est-ce que vous en jetez du jus, ma chère ! Votre robe est très belle.

C'est là que ça me frappe comment ma tante Mathilda se conduit comme un homme. Parce que c'est vrai, il n'y a que les hommes pour parler comme ça. Les femmes entre elles, elles parlent des mômes, des saloperies des mecs, de leurs coiffures. Mais elles disent jamais à une autre femme qu'elle en jette du jus.

Dans la salle, tous les hommes ont les yeux braqués sur Aminata. Elle s'assoit. L'inconnu qui l'accompagne a tiré une chaise et s'assoit à califourchon à côté d'elle.

Mon papa s'approche à son tour. Il regarde Aminata comme un fantôme.

— J' te présente Monsieur Nkomo. Il est dans les banques, dit Aminata.

Mais mon papa fait comme s'il n'était pas là.

— Qu'est-ce que t'as à te mettre comme une pute ? il demande.

Aminata regarde autour d'elle comme si elle appréciait. Puis elle dit :

— C'est pas parce que t'as pas voulu de moi que la vie prend fin, mon cher.

— T'es mère, t'as des responsabilités, qu'il lui fait le père.

— Ça empêche rien, mais rien du tout ! Une femme a bien le droit de s'amuser de temps en temps.

— Une femme doit pas mal se comporter.

— J' fais c' que je veux.

— Tu es la mère à mon fils !

145

— Pas ta femme, en tout cas.

Mon papa jette un regard à l'inconnu. L'inconnu recule sa chaise, il boit un coup et il dit :

— J' prends la place à personne. Je m' bats pas pour une nana, moi ! J' suis là pour aimer Aminata et l'emmener où ça lui fait plaisir.

Mon papa a l'air soulagé. Il se tourne vers Aminata et il dit :

— Tiens, on danse ?

Elle se lève, elle met les bras autour du cou de mon papa. Les voilà partis en se déhanchant tout doucement.

C'est là qu'elle s'amène, la Soumana. Malade comme une chienne, mais debout. Elle est habillée comme une vraie reine africaine. Avec un boubou en or tout brodé et des perles blanches sur la poitrine. Un foulard en diamant avec des franges rouges qui lui retombent sur les joues. Son p'tit sac en peau de serpent et des sandalettes assorties. Elle est vraiment chic. Mais elle manque tomber entre les danseurs. Elle est pas très solide. Elle a du mal à tenir sur ses jambes. Et puis de près, j' vois la poudre jaune qui fait des plaques sur sa figure. Et son rouge à lèvres très voyant. On dirait qu'elle va pas rester longtemps dans ce monde et qu'elle est fringuée pour le suivant.

Elle va recta vers Aminata pour lui piquer son danseur. Mon papa s'arrange d'abord pour faire tourner la créature. Mais la Soumana est têtue. Elle tape sur l'épaule d'Aminata.

— J' peux danser avec mon homme ? elle demande.

Le père et Aminata s'arrêtent pas loin de moi.

146

Et M'am fait «*pff, pff*» avec sa langue, parce qu'elle sent venir l'orage.

— Qui c'est cette femme? demande la Soumana.

— Tu sais bien qui c'est, répond mon papa.

La Soumana se tourne vers Aminata.

— Tu ferais mieux de t' tenir loin de mon Abdou, qu'elle lui dit.

— Moi, j' veux bien.

Et Aminata fait comme pour partir, mais le père l'attrape par le bras.

— T'as pas à t'en aller. Tu es ici chez toi.

— Qu'est-ce que tu racontes que c'est chez elle! Hein? hurle la Soumana. Elle a plaqué son fils. Qu'elle s' tire!

— Tu ferais mieux d'aller te recoucher, qu'il dit le père. T'es malade, Sou.

— Pas tant qu'elle est sous mon toit! crie Soumana.

— Elle a droit d'être ici, dit le père. Elle a droit de danser...

— Pas avec mon homme. T'entends, espèce de putain!

Aminata commence à en avoir assez. Je l' vois bien à ses lèvres qui tremblent. Puis elle dit encore une fois comme pour en finir:

— Moi, j' veux bien.

Et là, Soumana lui met une bonne claque dans la gueule. On sait pas pourquoi. Aminata, c'est pas le genre à se laisser faire. Elle ferme les poings, balance les poings, mais le père l'attrape par la main. La Soumana hurle:

— Tu vas mettre cette putain à la porte!

Mon papa et Aminata sont là à se regarder, mais c'est comme s'ils l'entendaient pas. Mon papa tient encore le bras d'Aminata. Il se passe une bonne minute. Et puis le père lâche Aminata et se penche pour soutenir la Soumana. Même qu'il n'y arrive pas tout seul à cause de ses kilos. Monsieur Makossa se précipite et lui donne un coup de main. Ils emmènent la Soumana dans la chambre. Aminata est partie chercher son banquier. Ils sont sortis sans un regard pour personne. Et on a entendu un moteur qui démarre.

Puis tout le monde se met à parler. Surtout Monsieur Makossa. Il dit :

— Ça tourne toujours au vinaigre quand on mélange les genres. Enfin, nous ne sommes pas de la même classe, quoi.

Tout le monde grogne. Alors là, Monsieur Makossa explique qu'il connaît le cavalier d'Aminata. Un voyou! Un dépravé! Comment est-ce qu'on croit qu'il s'est taillé son costard dans les banques? En vendant son cul, bien sûr! Et même qu'il est trempé dans le blanchiment d'argent! Un salopard! Une ordure! Aaaah! Quand le monde avait encore toute sa tête, jamais il n'aurait mangé à la même table que ce brigand! Ce détrousseur de cadavres... Tenez, le plus beau est que ce voyou veut épouser la fille d'un chef d'Etat... Oui, vous n'étiez pas au courant? Parfaitement. Il s'est présenté aux élections pour être président de quelque chose, mais il n'a eu qu'une voix, sa propre voix! Le peuple n'est pas si idiot! Jamais il pourrait accepter un pédé...

Mais moi, ce que je peux vous dire, c'est que j'ai rien contre les pédés, parce qu'ils ont toute la bonne conscience populaire contre eux. Mais donner son cul, il faut aimer ça sinon c'est

148

dégueulasse, parce que, après tout, vendre son cul, c'est quand même un métier de gonzesse.

Mon papa est revenu au salon, l'air tout à fait dans son assiette. Il a demandé :

— Ça va bien, les amis ?

— Ouais ! que tout le monde a répondu en rigolant.

— Très bien, il a dit, que la fête continue !

Je sais que c'était seulement pour faire régner la bonne humeur, car sans ça on peut pas.

Madame Zola est allée vers le père et elle a dit :

— C'est très réussi, votre soirée, Monsieur Abdou, mais il faut que je parte…

— Oh, restez encore un peu, il a insisté mon papa. La soirée ne fait que commencer. Allez, venez danser avec moi.

Elle a accepté avec plaisir. Elle remuait son derrière comme dans un sex-shop avec un petit sourire coquin. Elle disait en rigolant que ça lui rappelait sa jeunesse, quand elle avait encore ses deux pieds et qu'elle pouvait monter dix fois les escaliers sans se fatiguer. Après, je ne sais plus, et quand je me suis réveillé le matin, il y avait des bouteilles vides partout et des restes dans le plat.

Timothée est venu, il a frappé, j'ai ouvert et je lui ai demandé s'il voulait goûter aux restes. Il a dit oui. Je lui ai donné. Il a mangé. Il a vomi. C'est comme ça qu'on a fêté Noël.

Dans ma Maison, la girafe de l'angoisse tournoie.

Debout sur les femmes, j'ai vu venir la nuit.

Des songes prémonitoires s'entassaient à l'horizon.

J'ai perdu la légende, je n'ai pas su les déchiffrer.

A trop rêver, la vie perd nos traces.

Je ne sais plus qui je suis. Barrière explosée.

L'aube de la perdition baigne ma Maison d'une lumière blessante.

Je te donne la clef de ma vérité. Je veux oublier le temps qui saigne et qui voûte. Je veux croire encore aux douceurs de la terre féconde.

Tu sais, avant, ma voix chantait belle.

La femme multitude se parait d'amour,

Elle abolissait le vide, et sans détour faisait jaillir les sources d'espérance.

La femme a changé. Je vois des théories descendre l'escalier de la raison, apporter du vent pour convertir le passé en monuments d'échos. Qui donc habite ces théories ? La femme est l'égale de l'homme ! Pourtant, je sais que forte, elle est la grimace de la terre. Faible, elle donne à boire du fond du désespoir.

Mon destin bascule. Je ne te dis rien du reste. Les

*jours qui égrènent leurs monotonies. Tristes. Plats.
Sans surprise. Je m'étonne toujours d'être si peu.
Même pas un sexe depuis que les femmes pèsent
sur mes épaules et chient sur ma tête. Je m'enfonce
un peu plus chaque jour dans l'ombre à la
recherche d'une flamme. D'un lambeau de compréhension.*

*Pourquoi? J'ai fait le nécessaire. J'ai vendu ma
vie au travail pour un peu de pain, pour que l'éclat
des yeux de la femme soit plein d'affection.*

*De ce cercueil, ma Maison, je ne revendique que
le rire, l'ivresse de la danse. Et la tendresse posée
là comme une récompense méritée. Pourquoi?
L'une s'est barbouillée de rouge à lèvres, l'autre a
fardé ses yeux comme deux immenses trous noirs.
Je ne les reconnais plus. Qu'est-ce qui se passe?
Rien n'est plus nommé! Je ne sais plus rien. Je ne
suis plus rien. Et chaque jour, les femmes tailla-
dent un peu de mes rêves, ces rêves construits pour
elles. J'ai peur. Et au lieu de vous dire, de t'expliquer les raisons de la nécessité absolue pour un
homme d'avoir deux femmes, voilà que je t'ennuie
avec mes angoisses.*

*Même mon territoire intérieur se lasse. Epuisé,
fatigué par mes interrogations permanentes.*

(Abdou Traoré)

Pendant les vacances, je joue avec mon ami
Alexis. Mais il fait froid dehors, il fait même très
froid. On a joué au foot, au flipper, mais Monsieur Ndongala n'était pas là pour nous filer le
prix de la passe, personne ne l'a revu depuis le
soir de la Noël, même que le père il est inquiet.

M'am a dit qu'il a certainement trouvé une cache où il peut manger et dormir à l'œil. Et tout le monde a trouvé ça très drôle, sauf moi, bien sûr, c'est la vie, quoi !

Une fois, Alexis a volé quelques sous. Mais Monsieur Guillaume s'en est aperçu. Il lui a foutu une tartouille avec interdiction de sortir. La journée m'a paru longue, longue comme si c'était en Afrique, alors, j'ai dérivé sans trop savoir comment jusqu'à l'immeuble de Lolita. J'ai d'abord pris la rue Jean-Pierre-Timbaud, j'ai continué boulevard de Belleville, ensuite j'ai pris la rue de Belleville.

Là, j'ai rencontré Madame Saddock. Elle portait un manteau noir, des gants et un chapeau feutré. J'ai baissé la tête pour qu'elle ne me voye pas. Mais elle m'avait vu. Elle m'a appelé :

— Loukoum ! Loukoum...

Et elle m'a rattrapé.

— Comment ça va, mon petit ?

— Bien, j'ai répondu parce que j'étais pas d'humeur.

— Et M'am, comment va-t-elle ? Et Sou ?

— Très bien, très bien, j'ai dit.

— Ah, qu'elle fait. C'est bizarre. Voilà plusieurs jours que j'essaye de les voir, mais personne ne répond. Je ne comprends pas.

— Elles veulent pas vous parler, Madame.

— Mais pourquoi ? qu'elle demande affolée. Qu'est-ce qui s'est passé ?

— Je sais pas, Madame. Je comprends rien aux histoires des grandes personnes.

Elle a souri bizarre, mais je savais que c'était pas vrai comme sourire, vu qu'il y avait pas de quoi.

— Ça te dirait de prendre une glace avec moi, Loukoum ?

— Ouais, j'ai fait.

J'aime pas cette femme-là, mais j'adore les glaces à la fraise.

Alors, nous sommes allés au café. Madame Saddock a commandé un thé, et moi, tant qu'à faire, j'ai pris quatre boules de fraise. Je me suis régalé. Mais elle, elle arrêtait pas de parler, de poser des questions. Ça se voyait qu'elle voulait me tirer les vers du nez. Je suis pas né de la dernière pluie, moi ! Elle n'a qu'à aller voir l'inspecteur Malcom pour plus d'informations.

J'ai bouffé ma glace et je me suis tiré si vite que j'ai même oublié de dire merci.

J'ai repris la rue de Belleville. Il pleuvait…

Il pleuvait sur ma tête et le vent faisait faire des cercles à la pluie sur la chaussée et soufflait dans mon anorak.

Une voiture est passée, les pneus ont crissé, il a bien failli y avoir un accident boulevard de Belleville. Une porte a claqué quelque part. Une voix a crié quelque chose. Et la pluie frappait ma tête. M'am dit que la pluie, ce sont les bons esprits qui dansent sur les toits des maisons et des fois, je fais un truc quand personne ne me regarde, je sors dans la rue avec une boîte de conserve vide et je la mets sous la pluie : «Vous pouvez venir, esprits du bien, vous tomberez là dans la boîte, comme ça, vous aurez pas mal.» Mais ils sont jamais venus.

Je suis arrivé enfin chez Lolita. A l'intérieur des appartements, des gens regardaient la télévision. Certains ont mis des décorations avec des guirlandes de métal tout autour de leurs fenêtres.

Je m'ai arrêté devant l'immeuble. La porte d'entrée est ouverte. Je suis resté dehors avec mon anorak. Et j'ai observé. Un monsieur est entré dans l'immeuble avec des fleurs. Une vieille dame en est sortie avec un foulard en nylon sur la tête pour pas tremper ses cheveux. Moi, je regardais toujours. Un chien est venu. Il était tout noir et tout maigre. Il a reniflé les arbustes devant l'immeuble et puis il est rentré dedans faire ses crottes. Ensuite, un chat est venu me voir. Il s'est frotté contre mes jambes. Il a miaulé en regardant la maison de Lolita. On l'a regardée ensemble. Puis il est parti.

Une vieille dame est sortie. Elle était habillée en noir comme en deuil. Elle a balayé devant la porte et elle m'a demandé :

— Tu as besoin de quelque chose, p'tit ? J' peux t'aider ?

— Je fais que regarder, j'ai dit.

Elle a marmonné quelque chose. Elle a secoué la tête. Puis elle est partie. J'ai regardé toutes les fenêtres de la maison de Lolita. Je m'ai dit que peut-être bien qu'elle me voyait, peut-être bien qu'elle était en train de me regarder, mais je la voyais pas, mais elle y était quand même parce qu'il y avait des fleurs aux fenêtres. Et puis, de toute manière, je suis resté quand même.

C'est alors que j'ai entendu une voix :

— Qu'est-ce que tu fais là, Mamadou ?

C'était Lolita. Elle était avec une femme. Elles portaient des paquets. J'en ai déduit qu'elles étaient allées faire des courses.

— Tu le connais ? demande la dame.

— Bien sûr, qu'elle fait. Il est dans ma classe.

Elles s'approchent de moi. Elles se ressemblent vachement. La maman est toute maigre. Elle a un tas de cheveux sur la tête.

— Qu'est-ce que tu fais sous la pluie, petit ? Tu vas finir par attraper la crève ! Viens, entre...

Nous sommes montés chez Lolita. J'ai enlevé mon anorak et je l'ai accroché proprement dans le placard de l'entrée. La maison de Lolita est la plus belle maison que j'aie jamais vue, je vous le jure ! Il y a une grande pièce plus grande que toute notre maison à nous, une cuisine, deux salles de bains et des chambres. La mère de Lolita m'a donné une serviette pour me sécher les cheveux. Ensuite, elle nous a servi des biscuits avec du lait. C'était meilleur que chez moi, je sais pas pourquoi.

— Tu habites dans le coin ? elle a demandé, la maman de Lolita.

— Non, un peu plus bas, j'ai répondu. Je suis malien.

— Tu ne dois pas traîner sous la pluie, elle a encore fait.

J'ai rien dit.

— Tu habites avec tes parents ?

— Ouais.

— Qu'est-ce qu'il fait, ton père ?

Je lui ai expliqué. Elle m'a écouté religieusement. Les Blancs écoutent les Noirs quand vous leur racontez vos misères. Mais quand vous leur dites que ça se passe bien, que vous n'avez pas besoin d'eux, là, ils vous écoutent plus.

Alors, j'allais pas lui faire ce plaisir et lui dire que mon papa a deux femmes, qu'il a plein de maîtresses, que ma mère est une pute. Non, je lui ai raconté une histoire que les Blancs n'aiment pas. Que nous sommes des gens bien. Que mon

155

papa travaille au bureau de la mairie. Que ma maman est caissière chez Ed.

Elle a bâillé. Elle a dit :

— Allez jouer dans la chambre. Faites pas trop de bruit.

Lolita avait une chambre à elle toute seule avec des rideaux blancs et un beau couvre-lit avec des oiseaux de paradis où j'osais pas m'asseoir.

On a d'abord joué au puzzle. Ensuite, on a joué au papa et à la maman, le jeu que je préfère.

— Montre-moi, qu'elle a dit tout à coup.

— Te montrer quoi ? j'ai demandé.

— Ton zizi, bien sûr ! T'as jamais montré ça à une nana, je parie.

— Si, j'ai menti.

— Alors, pourquoi est-ce que tu le montres pas ?

— Je ne veux pas, c'est tout.

— Alors, t'es qu'un pauvre gosse ! T'es encore vierge.

— Pas du tout, j'ai dit.

— Alors, montre.

— Toi d'abord.

— Si tu veux. Viens surveiller la porte, des fois que.

— D'ac, j'ai dit.

Elle pouffe. Elle s'allonge sur le lit. Elle relève sa robe. Elle baisse sa culotte. Bah, c'est comme un cœur comme on voit en cours de sciences nat. Il n'y a pas de poils autour, comme sur la zézette de la Soumana. Mais dedans, on dirait une rose mouillée.

— C'est joli ? elle demande.

Je m'approche, je la regarde, je touche le bouton. J'ai comme un frisson. Oh, pas grand-chose,

156

mais ça suffit pour que j'aie compris. Je le tripo-
terai plus longtemps la prochaine.

— C'est joli ? qu'elle redemande.

— J' sais pas.

Là, elle se lève. Elle vient et elle me dit :

— A toi maintenant.

— Non.

— T'as promis.

— Non, je dis. Il y a un endroit dans le Coran
où c'est marqué que c'est mal.

— C'est bien lui ton bon Dieu qui l'a fait, non ?
Alors, c'est que c'est bien.

La voilà qui se jette sur moi, elle attrape mon
pantalon et tire sur la fermeture. J' peux plus
bouger. J' suis comme paralysé de l'intérieur. Il y
a des tas d'oiseaux qui chantent dans ma tête. Du
vent souffle. Des arbres se balancent. Pas qu'ils
sont loin de moi. Une impression de faire partie
de tout ça. Par exemple que si l'arbre tombe, je
tombe avec. C'est vraiment bizarre.

Lolita glousse.

— Toi, qu'est-ce que t'es moche, alors, elle dit
en regardant mon zizi, l'air de pas croire ses
yeux.

Je baisse les yeux sur ma quéquette. Elle est
toute dressée. Je pense à quand M'am me lavait.
Et que ça me faisait un petit frisson aussi. Des
fois, un plus fort.

— Voilà ma maman ! elle a crié.

J'ai vite remonté ma culotte et mon pantalon.
J'avais l'idée qu'on avait fait quelque chose de
pas beau.

— Il faut que je parte, j'ai dit.

Puis je l'ai regardée et j'ai encore dit :

— Faut plus faire ça, sinon le bon Dieu va pas être content.

Mais des fois, la nuit, quand je dors et que j'entends des bruits de la couchette de mes parents, je me tire la couverture par-dessus la tête et je me tripote la quéquette et je pense à Lolita et ça me remonte.

Que faire, l'ami? Faire du néant un temple ima-
ginaire qui ne peut mourir. La femme a changé.
Elle a travesti son pagne en pantalon. Ecoute-moi
encore.

Ecoute mes hantises cousues par les nuits.

Les images vont et viennent. Mots du passé.
Tambourinent. Je dois me laisser aller dans les
rêvasseries pour ne pas cracher ma rage.

Autrefois, là-bas dans mon pays?

Ecoute.

Mes yeux se ferment et derrière mes paupières
closes, il y a un regard de femme qui brille plus
que le soleil. De la tête aux pieds, elle est comme
l'ébène. Ses joues comme le ciel et sa taille comme
un épi de maïs. Sur ses épaules nuitées, deux
tresses d'argent dont les extrémités s'achèvent par
des anneaux d'or.

Derrière mes paupières closes, il est un visage
éteint, une plaie, une blessure, une silhouette rem-
plie de forêts et des mots qui me fuient.

Je la sens présente devant moi, posée là comme
un cadeau de la nature. Elle s'appelle Astre.

Elle me tend ses bras nus et forts. Elle m'appelle,
elle m'interpelle. Elle prétend pouvoir me déposer
au seuil du paradis. Une mort douce comme celle

des oiseaux qui se perdent dans le ciel. Elle
m'attire, elle me happe. Comment résister, l'ami,
dis? Comment confier son âme à une femme?

Ses yeux sont un ciel d'éternité, peuplé de dia-
mants. Comment résister l'ami? Ne dis rien. Tu
dois les connaître toi aussi ces rêves des nuits qui
pâlissent à la pointe du jour. Ecoute:

Les anciens avaient raison de recouvrir de terre
leur premier enfant femelle. Ils endiguaient le mal-
heur.

(Abdou Traoré)

Seigneur! M'amzelle Esther est venue chez
nous. Elle a pas l'air en forme. Elle est pâle. On
dirait qu'elle s'est mis de la poudre de riz. Et l'air
ramollote. Elle a des nausées. Elle boit le thé,
elle vomit, elle mange des gâteaux, elle vomit.
Elle ne fait que de vomir.

C'est vraiment tout c' qu'il faut à la maison.
Avec la Soumana qui est de plus en plus malade.
Elle mange presque plus. M'am se réveille plusieurs fois dans la nuit pour guetter sa respiration.

— Qu'est-ce qui lui arrive au juste? j'ai
demandé.

— Les bronches, elle m'a répondu, M'am.

M'am a l'air de plus en plus fatiguée et triste.
Mon papa, il s'approche pas trop parce que la
Soumana ne veut pas le sentir. Elle a même plus
la force de le dire. Il n'y a que ses yeux pour
exprimer son hostilité.

Alors, quand M'amzelle Esther s'est amenée

avec sa part de malheur, M'am n'avait pas le
cœur à l'ouvrage. Elle a dit :

— Faut voir un médecin.

— C'est fait.

— Alors ? a demandé M'am.

— J' vais avoir un bébé.

Là, ça a été comme une bombe. Mon papa a
craché sa cola *floc-flac !* et il a demandé :

— Combien de mois ?

— Presque trois.

— C'est pas un problème, tu peux faire avor-
ter.

— J' veux pas.

— Et pourquoi ça ? Et d'abord, qui c'est le
père ?

— Quelle question ! elle a dit, outrée.

— Comment ça, quelle question ! a fait mon
papa. Avec les filles d'aujourd'hui, va savoir.
Elles ouvrent les cuisses à tout le monde... On
peut pas jurer, alors.

— Moi, je sais qui a fait ça, elle a dit M'amzelle
Esther en regardant mon papa dans le blanc des
yeux.

— Alors ? a demandé M'am.

— Il est de lui, elle a dit en montrant mon
papa du doigt.

Lui, il a pas répondu. Il a baissé la tête.

— Qu'est-ce qu'on en sait ? M'am a envoyé.

— J' le jure, elle a dit M'amzelle Esther.

— Et comment tu vas faire ? a demandé M'am.

— J' sais pas.

Puis elle a ajouté :

— Vous êtes là, n'est-ce pas, M'am ?

Inch Allah !

Depuis que les femmes servent de longues rasades d'indépendance dans ma maison, depuis qu'elles boivent de cette sève, j'apprends à ne plus être un homme. Qui suis-je? Un immigré. Une bouche encombrante. Un courant d'air qui passe.

Je n'ai plus de repère. Je claudique dans mon infirmité avec l'insolence d'un corps défait.

Dis-moi, l'ami, comment fais-tu? Comment as-tu réussi à extirper de ton corps, de ton âme, cette liberté de ton épouse qui enchaîne tes forces mâles?

Ici, il y a des marabouts. Des marabouts aux âmes perdues dans les méandres de la civilisation. Leurs bouches ne savent plus. Leurs mémoires ont perdu la légende. Leurs yeux fixent le ciel. Obstinément. Arrachés à leurs terres, ils y laissent le savoir.

Ils disent. Ils racontent encore. Ils peuplent leurs bouches de légendes dont ils ont oublié la fin. Le mal du pays nous oblige à croire. La nostalgie nous amarre à leurs mensonges. Que faire, l'ami?

Les croyances ne supportent pas l'exil. Elles sont comme des arbres. Déracinés. Comptabilisés.

162

*Expédiés dans le froid sous des cales, ils perdent
leurs feuilles. Ils arrivent asséchés. Morts.*

Je ne sais plus vers qui me tourner.

*Mes femmes m'en veulent. Leurs corps offerts ne
se bousculent plus pour me donner la joie qui
manque. Leurs visages sont tourmentés de ran-
cœurs, de haines accumulées. Elles disent :
«Chaque jour, tu nous enfermes, à chaque jour
nous sommes libres, à chaque jour plus mortes et
toujours plus vivantes, plus misérables et plus
royales, éternelles condamnées mais encore sursi-
taires, absentes mal délivrées, opprimées mais
uniques sous les plus hauts cieux, deux femmes. »*

*Elles n'ont rien compris, les femmes. Leur peau
exilée de soleil s'est craquelée. Quelque chose s'est
détraqué. Les théories de ton épouse s'y sont infil-
trées à leur insu, hors de ma volonté. Elles trans-
forment ma vie en cauchemar. Elles m'accusent :
«Tu es le bourreau de notre âme. Tu te crois chari-
table, mais tu es froid comme une lame. Tu ne tues
pas, mais tu voles la vie de chaque instant. »*

Et la chaleur de mes mains, qu'en font-elles ?

(Abdou Traoré)

La Soumana est de plus en plus malade. Et de
jour en jour, elle s'affaiblit. Le père a fait appel à
un médecin. Il faut que ça soit vraiment grave,
vu qu'un médecin à domicile, c'est des soins de
luxe pour patrons, comme si c'est pas malheureux de jeter l'argent par les fenêtres.

Quand le médecin a vu notre maison et les
mômes qui chialaient à qui mieux mieux, il a crié
derrière sa grosse barbe :

— Mais c'est la garderie ici !

Et tout le monde a rigolé.

Puis il a examiné la Soumana. Depuis qu' je suis là, j'ai jamais vu la Soumana malade. J' veux dire au lit. Elle se plaint tout le temps, comme vous avez déjà eu connaissance, ça oui. Elle a sans cesse mal quelque part, la tête, les pieds, le dos, si c'est pas de mon papa qu'elle se plaint pour infidélités conjugales.

Mais là, elle est malade pour de vrai. Quand mon papa est entré dans la chambre, le médecin l'a regardé et il a dit :

— Je répondrai de rien si vous ne la transportez pas d'urgence à l'hôpital.

Elle n'a pas l' cancer ? mon papa a demandé.

— Non, Monsieur.

Le médecin se grattouille la barbe et il ajoute :

— Mais c'est pas bien joli !

C'est un grand médecin. Il connaît bien son boulot. Il insiste pour que mon papa transfère la Soumana à l'hôpital et qu'elle y reçoive des soins appropriés. La Soumana dit :

— Oh non, docteur ! J' veux pas aller à l'hôpital. J' veux pas abandonner mes enfants. J' vais guérir.

Elle a tourné la tête, elle a regardé le médecin avec un pauvre sourire, puis elle a ajouté :

— Si c'était pas mes mômes, il y aurait longtemps que je serais dans l'autre monde.

Le médecin a hoché. Puis il a fait une ordonnance. Il nous a regardés. Il a de la tristesse dans ses yeux.

Il explique à mon papa que la Soumana a une maladie qui bouche ses canalisations sanguines et que le sang ne circule pas là où il faut. Il a dit quelque chose comme trombolie pulmonaire que j'ai pas très bien compris. Et qu'elle serait mieux dans une grande salle où on dispense des soins intensifs.

— Qu'est-ce que vous voulez, docteur ? Elle refuse. Vous savez comment sont les bonnes femmes… Toutes des têtes de mule.

— A votre guise, Monsieur. Mais si vous avez besoin de quoi que ce soit, appelez-moi.

— Merci, merci, mon bon Monsieur.

Mon papa s'écroule dans son fauteuil. Il a l'air très détaché. Mais je remarque qu'il se ronge le tour des ongles. Ensuite, il pousse un gros soupir comme quand le ciel vous tombe dessus.

Je referme la porte derrière le docteur. Je vais dans le coin-couchette voir la Soumana. Elle est allongée dans le lit. Elle prend toute la place avec un bras là et un bras de l'autre côté du lit. Elle gémit, elle marmonne de douleur. J' vois bien qu'elle lutte pour respirer. Elle est toute grise et toute dégoulinante de sueur, comme un énorme chocolat qui serait en train de fondre au soleil. M'am est agenouillée au pied du lit.

La Soumana ouvre les yeux, elle tourne la tête vers nous, puis elle dit :

— Arrête ta comédie, M'am. Tu es bien contente, va… Tu l'auras ton mec, à toi toute seule, comme ça.

— Dis pas de bêtises, Sou. T'as le diable dans le corps. Tu seras bientôt à galoper partout.

— Tant mieux que c'est le diable que j'ai là-dedans et non le bon Dieu !

— Soumana ! elle crie M'am, choquée.

165

— Oh, arrête... Personne n'y croit au bon Dieu. Regarde-toi donc. T'es noire, t'es pauvre, et en plus t'es une femme. T'es vraiment rien du tout.

— Sou! Ecoute-moi. Ecoute-moi, je sais tout ça, j' suis maigre, j' suis moche, j' suis mal foutue, j' suis froussarde et tout c' que je peux faire, c'est la bonne...

M'am se tait, puis elle ajoute d'une voix éteinte :

— Mais j' suis quand même là.

— Oh, la ferme! Dieu, c'est un salopard. Un bonhomme plus con que les autres, voilà c' que je pense.

— Tais-toi, Sou. Le bon Dieu pourrait t'entendre et se fâcher.

— Et alors? S'il ouvrait grand ses oreilles pour écouter les femmes, le monde serait différent, moi j' te l' dis.

— Sou, ma chérie, il t'a créée. Et les arbres. Et les fleurs. Et les oiseaux. Et les mers. Et les ciels. Toutes ces belles choses il les a créées rien que pour toi, pour nous. Tu t'es déjà demandé comment il a créé tout ça? Une mangue, par exemple? Une violette? Un épi de maïs?

— Tout c' que je sais, moi, c'est qu' les salauds rigolent plus que les autres parce qu'ils passent pas leur temps à se tracasser avec Dieu.

— Le bon Dieu t'aime, Sou. Il prépare les p'tites surprises et il te les donne le jour où tu t'attends le moins.

M'am est merveilleuse, moi j' vous le dis. On dirait un mimosa géant. Elle a jeté un regard vers la fenêtre et elle a continué :

166

— On se rend pas toujours compte parce que l'homme il se met partout et pourrit tout. Mais Dieu, il a créé ces belles choses pour les partager avec nous. Tu sais pas, Sou, le jour que ta fille est née et que j'étais là à me sentir comme un gosse abandonné, là, ça m'est venu d'un coup, une impression de faire partie de tout. Des fleurs. Des arbres, des étoiles, tu comprends ?

— C'est vrai ?

— Ouais. Par exemple, quand je piétine une fourmi, j' viens d'écraser une partie de moi-même. J' venais de découvrir LA CHOSE. Alors, je suis sortie, j'ai couru dans la rue, j'ai regardé les fleurs au jardin, les pigeons, l'air qu'on respire. J'ai ri, j'ai pleuré, j'étais heureuse.

La Soumana a eu quelque chose comme un hoquet, puis elle a dit :

— Toute ma vie, j'ai cru en Dieu. J'ai cru qu'il m'aiderait. Mais il écoute pas les femmes ! Il se prélasse là-haut assis sur son trône à faire la sourde oreille. Mais tu as raison, c'est pas facile de se passer de lui. Même si on sait qu'il n'est pas là, c'est dur de faire sans. Bon, laisse-moi maintenant, j' veux me reposer.

M'am est sortie. Je me suis assis à côté de la Soumana. Elle s'est endormie et respire comme l'orage. C'est vrai que je l'aime pas. Mais je me rends compte soudain qu'elle a beaucoup d'importance pour moi. C'est à cause de la nostalgie. C'est vrai, la vie est belle mais on la retrouve qu'après.

Dehors, une voiture est passée en klaxonnant, un chien a aboyé, une dame appelait son fils : « Damien ! Damien ! » La vie continuait.

La Soumana s'est réveillée. Elle m'a regardé avec terreur, comme si j'étais un revenant.

— Il faut pas qu'il m'amène à l'hôpital, Loukoum, sinon, ils vont me renvoyer en Afrique.

— Non, Sou, j'ai dit.

— T'es sûr, Loukoum?

— Nous sommes en France, Sou. Et personne peut t'envoyer où tu veux pas.

— Tu ne mens pas, p'tit?

— Inch Allah, promis juré, j'ai fait.

J'ai pris sa main. Elle était froide et toute mouillée. Je l'ai serrée fort, fort.

Alors elle m'a demandé:

— Pourquoi elle vient plus me voir, Madame Saddock?

— Je sais pas, moi. Peut-être bien qu'elle est malade elle aussi ou qu'elle s'est trouvé un bonhomme ou qu'elle n'a pas le temps. Tu sais bien comment c'est, la vie à Paris.

— C'est bizarre, quand même...

Puis j'ai dit:

— T'inquiète pas, Sou. Moi, quand j' serai grand, je t'emmènerai à Cannes. Là-bas, il y a des mers, des ciels, des forêts de mimosas, des actrices de cinéma, des lords anglais, des princesses de Monaco qui s' battent en caleçon sur les plages. Il y a des ballons qui tombent du ciel, des clowns dans les rues. Il y aura un producteur qui te verra et tu seras actrice.

J' pensais pas un seul mot de c' que j' disais, j' vous l' jure! Mais je vois pas c' que je pouvais faire d'autre, surtout avec cette histoire de Madame Saddock. Elle a souri. Son sourire est immense, vu que son visage est amaigri. Je l'ai jamais autant aimée, Allah! J'ai pris son sac à

168

main, j'ai trifouillé dedans, j'ai trouvé sa photo quand elle avait vingt ans, sans ses kilos superflus. En la regardant, j'ai pensé qu'elle était vraiment belle, sauf qu'elle était jaune sur la photo. Jamais, en regardant c' qu'elle était, on aurait pu imaginer que ça aurait donné ça au bout.

De toi à moi, l'ami, je ne sais pas comment tu fais avec ton épouse. La légende dit que ta femme a la cuisse aussi légère qu'une plume d'oiseau. Généreuse, elle distribue de longues heures de tendresse aux passants. La légende dit qu'elle plaide la liberté et qu'elle souffre devant toi à grands coups de caprices et de larmes intéressantes.

Et toi, toi l'ami, tu redoubles à son égard d'attentions, de soucis, tu t'inquiètes, dans le détail pour qu'elle paraisse heureuse et finalement mieux traitée que toi.

Je me demande où tu caparaçonnes ta jalousie. Quelquefois, je rencontre ton épouse, petite lune aux jambes nues, murmure d'amour qui court de ville en ville éveiller la tendresse. Où es-tu? Te porte-t-elle en elle? Es-tu devenu si léger, si léger? Ou alors te transformes-tu en un petit oiseau qui chante quand elle se donne à d'autres?

Ta compréhension m'échappe.

Que fait la lune dans les champs d'hommes, loin du foyer? Que fait-elle dans cette jupe qui la dévoile? Elle traverse la place et elle fait la roue. Pourquoi tue-t-elle des heures derrière un bureau? Elle rit et toi tu t'endors avec le sourire et l'amertume cachée dans les méandres de l'histoire.

Aux pans de la folie, j'imagine ta jalousie et tes hargnes que tu dois ravaler pour ne pas paraître réactionnaire. Je deviens dur, tranchant comme la lame d'un poignard, mais un poignard sans une main qui l'accompagnerait au crime. Qui suis-je après tout ? Je n'existe même pas alors…

Mais tu sais, l'ami, l'indépendance de la femme est une mauvaise graine que l'homme doit jeter dans la poubelle. S'il rate sa lancée, elle tombe et pousse n'importe où. Même entre ses jambes !

(Abdou Traoré)

C'est la rentrée. Mademoiselle Garnier est absente. Il y a une remplaçante. Elle est jeune. Plus neuve que Mademoiselle Garnier. Alors, personne ne l'écoute.

Pierre Pelletier m'apprend l'histoire, la géographie. Il m'explique que là, c'est l'Amérique où les Noirs ont vendu d'autres Noirs pour travailler dans les champs de coton des Blancs. Je comprends pas très bien cette histoire. J'ai jamais entendu personne en parler dans ma famille. Même pas Monsieur Ndongala. Paraît que nous ne sommes pas responsables. Alors, des tonnes de Noirs qui ont crevé, ça nous regarde pas.

J'aimerais bien quand même aller aux Etats-Unis. J'aimerais bien voir cette terre où tant de nos frères ont souffert, ont travaillé, sont morts dans l'espoir de revoir un jour l'Afrique. J'aimerais bien embrasser cette terre, j' sais pas pourquoi. Une petite chose en moi, comme une voix

171

venue de l'histoire. J' la connais pas. Mais elle est là.

Pierre Pelletier est gentil. Il parle aussi de l'Egypte qui est en Afrique. Il m'explique qu'il y avait autrefois là-bas une civilisation aussi grande et puissante que la civilisation occidentale. Il me fait travailler mes calculs et un tas de choses pour devenir plus malin. Mais avec les vacances qui ont duré, duré, j'ai l'impression que j' connais plus rien. Que ça fait des siècles que j' suis pas allé à l'école. Que j'ai tout oublié. Ensuite, je pense que j'ai l'esprit lent, que le message ne pénètre pas. Mais il y a des choses en nous qu'on sait qu'on sait, et j'ai pas besoin de Pierre Pelletier pour le savoir.

La nouvelle maîtresse a vraiment du mal. Personne ne l'écoute. Elle a beau crier, crier, mais c'est comme si elle jetait une salive dans la mer. Alors, elle a dit :

— Mes enfants, aujourd'hui, nous allons faire un exercice de narration spéciale. On va raconter à tour de rôle les vacances de Noël. Ça sera génial. Richard Dellacqua, tu veux bien commencer ?

Richard Dellacqua s'est levé, il est allé devant la maîtresse, il a croisé les bras comme un bon élève, et il a parlé :

— D'abord, maman et papa se sont levés. Ils étaient en robe de chambre et on a mangé le petit déjeuner au salon pour pouvoir recevoir la bénédiction du pape en personne à la télé. C'était trop honorifique. On a mangé du pain grillé avec de la confiture et du beurre, des toasts avec des œufs brouillés que j'aime pas alors je l'ai donné à mon frère Christian qui l'a donné à Maurice

172

notre chien qui l'a mangé et qui a dégueulé dans la cuisine.

— Et après, c'est ta mère qui a fait cuire le dégueulis du chien? a demandé Alexis.

— Beurk... beurk... C'est dégueu, que les autres ont crié.

— Taisez-vous! hurle la maîtresse. Croisez tous les bras sur la table, et toi, Richard, continue ton histoire.

— On a eu des invités pour la Noël, c'est des cousins, des oncles et des tantes du côté de ma mère. Mon papa a des côtés aussi, mais c'est pas pour Noël, c'est pour Pâques. On va chez Odette. C'est ma grand-mère. Elle est très vieille et parle flamand qui est la langue régionale dans le nord à Fort-Mardyck, alors, je ne comprends pas. Elle m'appelle Dady, qui chez elle veut dire chéri parce qu'elle n'aime pas les grandes personnes comme ma mère qui transportent avec elles le péché originel et qui votent à gauche où on vous arrache tous vos biens que vous avez gagnés à la sueur de votre front. Elle devrait vivre au couvent pour se protéger des perversités et de la dégradation de la société, moi personnellement je trouve parce qu'elle dit toujours: «Où allons-nous? Où va le monde? Oh! Seigneur! De mon temps...» J'ai pas de pépé du côté de mon papa, je le connais pas sauf en photo parce qu'il est mort d'une crise cardiaque en regardant un jeu télévisé. Du côté de ma mère, j'ai un grand-père. On l'appelle Grand-Papa. Il est retraité de chez Renault Billancourt. Maintenant, qu'il dit, sa vie a changé, il peut jouir tranquillement du repos bien mérité, mais il parle toujours des boulons et des vis. Il dort toujours très tôt et rouspète après ses voisins qui font du tapage après dix heures du soir. Il est furieux, il crie. Je ne comprends pas. Il a toute la journée pour dormir. Je pense, moi, que Grand-Papa et Odette devraient se marier pour se réchauffer vu que la solitude est terrible et tue plus que le cancer.

»Pour la Noël, Odette a préparé de la dinde avec des marrons, on s'est régalés et après nous sommes allés à l'église catholique apostolique pour remercier Dieu parce qu'il nous avait fait vivre en bonne santé d'un Noël à l'autre.

Ensuite, ç'a été le tour de Johanne Dégoud de parler. Personne ne l'écoutait. Elle est de la race de ces filles que personne n'écoute, même pas le bon Dieu tellement elle est moche! Et collante! Elle est tellement moche que quand elle passe, les oreilles des chiens tombent, et quand elle est de face, elle a l'air de dos. C'est une blague pour vous dire combien elle est moche. C'est la plus laide fille de France. Jacques Millano a dit:

— Le son! le son! On entend rien. Faut augmenter le micro!

Et la nouvelle maîtresse a dit à Johanne d'attendre que la classe soit calmée.

— Pour les vacances de Noël, mes parents et moi étions en vacances de neige en Savoie. En Savoie, on trouve les montagnes les plus neigeuses de France avec des sites touristiques blottis au fond des vallées.

Elle a sorti de sa poche un morceau de papier et elle s'est mise à lire!

— Avant son annexion à la France, la Savoie était une République autonome. En 17...

Alexis s'est jeté par terre à quatre pattes et s'est mis à faire le chien en aboyant. C'était vraiment

174

drôle et tout le monde riait à cœur joie. La Mademoiselle était en colère. Elle a d'abord crié. Puis elle est venue l'attraper par le col. Elle l'a tiré jusqu'à sa place. Johanne Dégoud ne s'est pas arrêtée de parler. De toute manière, on l'entendait pas. Lolita s'est retournée et elle m'a regardé. Je l'ai vue. J'ai baissé la tête et j'ai fait semblant de dessiner.

Mademoiselle est retournée à sa place. Elle a dit de baisser la tête et de croiser les bras jusqu'à ce que le calme soit revenu. Johanne Dégoud lisait toujours sur son morceau de papier.

— Ça va, Johanne! Va t'asseoir. Tu as assez parlé comme ça.

C'est alors que Lolita a levé la main.

— Lolita, qu'est-ce que tu fabriques? Croise les bras immédiatement!

Mais elle a fait comme si elle n'entendait pas. Elle s'est levée et elle est partie se mettre à côté du bureau de la maîtresse.

Elle souriait. Elle était heureuse. Je croyais qu'elle allait se mettre à siffloter de bonheur. Elle a arrangé sa robe. Elle a ajusté son bandeau. Elle s'est tenue bien droite et elle a commencé à parler ni trop fort ni pas assez.

— Le matin de Noël, je me suis réveillée et j'ai eu une surprise. Il y avait une valise près de la porte comme quand on va en voyage. Mon père était devant la télévision et ma mère préparait le petit déjeuner.

«On va en voyage? j'ai demandé à mon père.

— En quelque sorte, il a dit.

— On va à Disney World? j'ai demandé.

— Non, ma chérie, ça sera pour la prochaine fois.

175

— Ah! j'ai dit. Où on va alors?»

»Il m'a rien dit. Il s'est levé, il m'a serrée fort dans ses bras comme ça puis il est parti avec la valise.

«Papa!» j'ai crié.

» Mais il n'est pas revenu. Ma maman m'a servi mon déjeuner, des Kellogs, je n'avais pas faim, je boudais. Elle a dit :

«Lolita, t'es une grande fille maintenant et tu peux comprendre certaines choses. Ton père et moi, nous avons cru bon qu'il fallait se séparer quelque temps.

— Vous allez divorcer? j'ai demandé.

— On n'en est pas là, elle a dit. Mais...

— Chouette! j'ai crié. J'aurai deux maisons!»

Personne n'a rien dit.

Je la regardais, moi, avec mes yeux. De tous mes yeux avec des points d'interrogation qui sont toujours là quand ça te tombe dessus. Elle fixait le fond de la classe où il y avait un dessin, un zèbre tout colorié. Dans mon cœur, j'ai senti quelqu'un qui me tordait les boyaux, qui tordait, qui serrait de plus en plus.

Personne n'a bougé. Lolita s'est tournée vers la porte. Elle l'a ouverte. Elle est sortie. Personne ne l'a rattrapée.

Je suis rentré à la maison en prenant par Ramponeau. Je me suis arrêté au 24, vu qu'il y a là une place vide où les clochards se retrouvent en tas et croient qu'ils sont encore de ce monde. Ils boivent du vin rouge dans des bouteilles en plastique et fument des Gitanes. Ils sont plus sales que vous et moi, avec des vestes de Mathusalem parce qu'ils sont rancuniers et ne veulent pas se soumettre à la société. Ils sentent le vin rouge pourri qui fait comme un arôme. Je déteste. Les femmes, c'est à croire que personne les a peignées depuis leur naissance. Moi, j' dis qu'il faut raser tout ça. Que ça repousse après. Mais je leur dis rien, vu que personne ne m' demande mon avis. Ils boivent. Ils rigolent. Ils ont la voix du diable. Oui, c'est ça, le diable dans la peau.

Une vieille femme passe. Elle porte un manteau gris et un chapeau noir. Quand elle a vu les clochards, elle a reculé. Elle a mis son sac en bandoulière et elle l'a saisi fort sous son bras. Ensuite, elle a marché comme une autruche en s'interdisant de regarder dans leur direction. Tout le monde la voyait. Il s'est rien passé. Les clochards ont éclaté de rire. Ils avaient une tonne de dents mal plantées, noirâtres et pas saines. Ça m'a toujours frappé comment les Blancs ont des vilaines dents souvent plantées n'importe comment. Dans ma famille, tout le monde a des belles dents blanches bien alignées. Des dents de chien bien formées, droites et solides. Paraît que c'était nécessaire, vu que mes ancêtres étaient des cannibales.

L'histoire de Lolita me turlupine pas mal. C'est qu'entre le choc du départ, et puis secouer un peu la tête pour pas pleurer et tâcher de comprendre c' qui se passe, ça a pris un drôle de temps, et elle était déjà partie. Rien ne peut me rendre plus heureux que d'être auprès d'elle, de l'écouter. J'ai ça dans mon cœur. Je le garde pour moi.

Seigneur! Depuis que la Soumana est malade, tout son boulot retombe dans les bras de M'am. Elle lave, elle chante, elle nettoie, elle chante, elle repasse, elle chante, elle cuisine, elle chante. J' me demande toujours pourquoi les personnes fatiguées chantent autant. M'am m'a dit que c'est parce qu'elles n'ont rien d'autre à faire.

M'am est très gentille. Jamais un mot plus haut que l'autre. Elle se plaint même pas pour le travail. Elle travaille. Elle trouve des prétextes pour dire un mot gentil à chaque môme. Cette femme a le bonheur dans le corps, j' vous le jure.

Un jour, je lui ai posé la question :

— Pourquoi t'es toujours heureuse, M'am ?

— Pas' que le bonheur, fiston, c'est comme la santé. C'est quand on sent plus rien.

Aujourd'hui, M'am range le coin-couchette de la Soumana. Elle est tellement affaiblie que c'est M'am qui la lave, la peigne et la pouponne comme un vrai bébé. La Soumana ne veut pas qu'elle la touche. Je vois ses yeux exorbités de fureur. M'am prend ses vêtements pour les porter au Lavomat. Soumana s'est retournée. La vieille rancune la fait trembler des pieds à la tête. Elle dit :

— Touche pas à mes affaires ! J' suis pas encore morte.

— Mais c'était juste pour nettoyer et ranger... Y en a du désordre là-dedans !

— Touche pas ! elle dit encore avec des yeux luisants. T'auras tout. Tout. Mais aie au moins la pudeur d'attendre que j'aie fermé les yeux.

— Je t'en prie, Sou. Remets pas ça.

L'amertume la rend sans voix.

— Tu me hais.

— Non, Sou. J' t'aime comme si t'étais vraiment ma fille.

— A d'autres !

— Sou, tu sais que je mens jamais. Je te supplie de croire qu'en ce moment j' te mens pas. Allah !

— T'auras tout... Sois patiente, elle dit encore la Soumana.

M'am est désolée. Humiliée aussi. Elle a enlevé ses pagnes et j'ai vu son ventre.

— Ma sœur (c'est la première fois que j' l'entends l'appeler ainsi... M'am a la voix qui sanglote. Son cure-dent tremble avec son menton. Ses yeux sont remplis de larmes). Ce ventre n'a pas porté d'enfant. Pendant des années, j'ai regardé le ciel, rien que le ciel, et j' disais : « Sei-

179

gneur!» Un jour, le bon Dieu a frappé à ma porte. Et je l'ai pas reconnu tout de suite. Oh, Dieu! C'était une femme... C'était toi... Au début, il y a eu les efforts. J'étais la plus âgée, c'était à moi de les fournir. S'il faisait trop froid pour garder la fenêtre ouverte, tu me jetais un regard qui disait: «Et alors?» Si l'heure du coucher était dépassée, la lumière trop faible pour coudre, tu ne bougeais pas, tu disais: «Fais-le.» Je m'exécutais. Tu prenais le meilleur de tout, et tu te servais toujours la première. La meilleure chaise. Le plus gros morceau. La plus jolie nappe. Le ruban le plus éclatant pour tes cheveux. La plus belle robe. Tu m'imitais, tu te souviens? Tu parlais, tu marchais à ma manière, tu penchais la tête comme moi. Tu représentais plus pour moi que ma propre vie: t'étais la fille que j'avais pas eue. Alors, je laissais... Prends, prends, M'am n'a besoin de rien. Puis t'as touché à autre chose, à quéque chose de terrible, à mon homme... Oui, à l'homme de ma vie. La première fois qu'il est parti dans ta couche, j'ai eu trop de surprise pour que ça me fasse mal. Ensuite, tu le voulais, tu le voulais de plus en plus, il se laissait faire. J' pouvais plus le supporter... J'avais plus rien à donner. Et c'est là que je t'ai détestée. Pas longtemps, bien sûr! T'as fait des enfants — mes enfants —, et je pouvais pas. Personne peut détester le bon Dieu! J' suis mère et grâce à toi. J' te remercierai jamais assez.

Soumana l'a regardée. Il y a eu une lueur bizarre dans ses yeux. Elle a éclaté de rire.

J'ai rencontré Astre les premières semaines de mon arrivée dans ton pays. J'étais venu seul. J'avais quitté les miens et je frôlais ta terre avec, pour tout souvenir, quelques photos et des odeurs. Odeurs de mangues mûres. Des avocats. Des corossols. Odeur de pluie et de terre mêlée, nubile et tendre. Elles disaient l'histoire suspendue. Dur le déracinement.

Elles m'accompagnaient partout. Elles me donnaient l'impression d'exister un peu. Vivre le rêve enfoui dans le ciel. Dure la fêlure. La brisure. La blessure.

Dans les rues, les passants, les voitures. Je titubais. Je m'accrochais aux murs chancelants. Je ne connaissais des villes que les rumeurs. Je ne connaissais du ciel que le bleu azur et le soleil qui donne. Et des femmes, pagnes aux couleurs des jardins, que le rire, ce voile léger qui monte dans le ciel.

Je voyais les femmes, celles de chez toi. Elles me regardaient, les yeux vagues comme abrutis par quelque obscur calmant. J'ignorais alors que j'étais transparent. Je voyais leur longue chevelure tomber en chute libre, j'entendais le vent qui l'emportait. Je n'avais pas d'horizon.

Elles pouvaient briser ta solitude, me diras-tu.

Exotisme toujours. Baise, parfois. Tendresse, jamais !

Ma poitrine refroidissait, formait un bloc de glace qui recouvrait le trésor caché là, à l'endroit du cœur.

Il y avait celle de Pigalle avec ses bas de résines. Elle avait, disait-on, quelque chose dans le regard et les doigts. Elle avait le don de ressusciter un sexe mort.

Elle était petite, avec des seins comme deux citrons et les fesses aussi charnues qu'un dessous de marmite.

Elle me servait le maffé.

Elle posait des baisers sur mes lèvres assoiffées. Elle écartait ses jambes et regardait ailleurs. Elle faisait de mauvaise grâce la putain pour ce nègre.

Alors, Astre est venue. Elle est sortie de mon imagination pour que subsiste le rêve.

Il fallait continuer à croire à la beauté de ces lieux privés de vie, infirmes de générosité.

Et Astre est venue. Petite brune au cheveu de soleil dans la forêt noire des temps. Nous étions à l'intérieur, sous la voûte. Les bruits de l'extérieur ne nous parvenaient pas. Isolés. Protégés. Elle ne parlait pas. Par pudeur et par éducation. Soumise. Jamais triomphante. Ni rebelle. Et de cette prison d'extase partaient autant de ruisseaux que de nuits que nous passions ensemble et qui irriguaient mes jours orphelins de poésie.

Puis M'am est arrivée. L'image a disparu. Aujourd'hui j'ai besoin d'elle pour survivre. Mais elle me fuit.

(Abdou Traoré)

Cette nuit, toute la tribu nègre est venue. Une sorte de marée de gens, cinquante environ. Ils sont peinturlurés. Certains sont habillés de boue. Ils ont amené du vin de palme, de la cola, des poulets rouges, des mangues, des avocats. On a installé Soumana sur une natte. Nous nous sommes tous assis, les femmes et les enfants derrière, les hommes devant. Il y a eu une discussion à voix basse entre Cérif le roi des marabouts et mon papa. On a pris le repas vers vingt heures, du maffé et du riz que nous avons mangés avec les doigts. La partie la plus importante de cette cérémonie a été consacrée à la noix de cola. La noix de cola est le symbole de la concorde, de la paix et du bonheur dans mon peuple. C'est sur elle que nos empires se sont bâtis jadis. Elle est favorable. Tout a commencé il y a très très longtemps. Dans mon village, les gens vivaient en harmonie dans le respect des dieux. Ils cultivaient du mil, du manioc, des arachides qui poussent très bien et d'autres choses encore. Et tout le monde se partageait tout, selon ses besoins. Un jour, un chef d'un village voisin a voulu plus que sa récolte. Il voulait plus de terres de façon à faire le troc avec les Blancs qui se trouvaient sur les côtes. Il a annexé de plus en plus de terres. Il a augmenté le nombre de ses épouses pour travailler. Mais bientôt, les autres villageois n'ont plus rien eu à manger parce que l'autre avait pris toutes les terres cultivables et fertiles. Un matin, ils ont réuni le conseil de famille. Ils ont décidé qu'il fallait chasser l'ambitieux. Mais celui-ci n'était pas seul. Il avait tous les Blancs avec lui et ils avaient des fusils. Alors, la guerre a commencé. De nombreux Malinkés en sont morts. La famine menaçait.

Il y avait plus rien à manger dans les greniers. Certains ont fui les villages. D'autres durant leur fuite se sont fait dévorer par des animaux sauvages. Le peuple menaçait de disparaître. Le chef ambitieux continuait à cultiver ses terres. Il s'enrichissait. Un jour, la folle du village est allée jeter une noix devant la porte de l'homme ambitieux. Son fils aîné mourut. Et tous les jours, elle venait jeter une noix et à chaque fois quelqu'un mourait dans la famille du chef. Bientôt, tous ses enfants, ses femmes moururent sans savoir comment ni pourquoi. Puis, sa santé à lui a commencé à se tarir. Il n'avait plus rien, ni argent, ni honneur. Il a fait appeler le chef malinké et il a réuni tous les villageois autour de lui.

— Veux-tu vivre heureux, sain, content, joyeux, exempt des maux dont tu te plains, riche à foison et sans mélancolie ? Prends ce principe. Fais confession comme à l'heure de la mort, observe la définition de la justice et rends à chacun ce qui lui est échu ; vis à la sueur de ton front, et non du front d'autrui ; sers-toi à cette fin du salaire et du bien que tu auras acquis en toute propreté. Tu vivras alors en plaisir, seras heureux, et tout fructifiera entre tes mains. J'ai fauté, mes frères. Vos larmes, vos douleurs ne m'ont point ouvert les yeux. Seule la noix m'a rappelé que j'avais brisé le noyau d'un tout indissociable. Adieu, mes frères, et que la noix soit à jamais pour nous le symbole de la paix, de l'obéissance, de la concorde.

Sur ce, il mourut. Personne ne le pleura. Il fut

enterré indignement. Et mon village retrouva toute sa prospérité.

C'est le marabout Cérif qui nous a raconté cette histoire avant de commencer de donner les soins. Il a fait boire à la Soumana une potion à boire, puis il a trempé ses doigts dans le bol, il a pris quelques gouttes de la décoction, il les a jetées sur Soumana pour lui donner sa bénédiction. Ensuite, le bal s'est ouvert. Pas un vrai bal, bien sûr, mais c'est une expression pour dire qu'ils se sont mis à danser autour d'elle en faisant du tapage avec un tam-tam. C'était une très belle fête. Une comme j'en avais jamais vu à Belleville. La Soumana regardait tout cela avec désolation. Comme si elle n'était déjà plus là, qu'elle était seule quelque part. Les nègres étaient contents et criaient à qui mieux mieux. Monsieur Cérif dit que le bruit faisait peur au démon qui est venu voler l'âme de la Soumana. Avec le vin de palme, la danse a duré toute la nuit.

Les nègres adorent le vin de palme. Partout en Afrique. Si vous n'arrivez pas à leur faire faire quelque chose après avoir tout essayé, vous n'avez qu'à parler de vin de palme, d'une petite gourde qui vous reste par exemple. Ou si vous voulez leur faire faire un truc vraiment important, vous leur parlez de causette au vin de palme.

Monsieur Cérif adressait des prières à nos dieux, attendant impatiemment le changement de situation. Mais la Soumana ne servait plus à rien et il fallait la laisser vivre. Monsieur Cérif dit que la tentative a échoué vu que la Soumana avait offensé Dieu, ce qui rendait son âme impropre à la guérison. Nous sommes restés ainsi en face des dieux des Malinkés jusqu'au matin. La tribu était très déçue. Dans un même geste, ils ont essuyé les sourires sur leurs figures et la sueur sur leurs fronts et ils sont repartis chez eux en nous donnant des salutations d'encouragement.

J'étais tellement épuisé, tombant de sommeil, le ventre rempli de poulet aux cacahuètes, de vin de palme et les oreilles si pleines de tous ces chants que je ne sais plus où donner de la tête.

Je me demande bien ce que vous allez penser de tout ça.

Sur cette terre où je serai à jamais étranger, j'ai essayé d'être un bon mari musulman. J'ai équilibré mes préférences. J'ai deux femmes mais j'ai mis tout en œuvre pour que l'une soit aussi favorite que l'autre. J'ai réparti mes gains équitablement entre elles. J'ai mené, soucieux, la tâche délicate du double agent : les manières dérobées dont j'allais embrasser l'une de peur que l'autre ne le sache et puisse — à juste titre — m'en faire grief.

Voilées, protégées de l'extérieur, repliées et agenouillées sur elles-mêmes, je les ai libérées du mal des hommes. Les méchancetés subalternes, l'exclusion, même l'égoïsme ne les concernaient plus. Une sorte d'immunité. Et qui les mettait à l'abri du jugement des hommes.

Un jour, j'ai voulu vérifier cette immunité. Je les ai emmenées dans une boîte tenue par un compatriote, un nègre de chez nous. C'était la première fois. Elles ne connaissaient rien de ces lieux de débauche. Ni les fissures imperceptibles entre les murs. Ni les mille ruses de ces femmes aux jambes nues, aux ongles rougis de vernis, beautés faciles que je soupçonne de mettre leurs passions avec leurs colliers et leurs porte-monnaie.

Personne ne semblait avoir remarqué que mes

amantes étaient là. Elles étaient pourtant là, dissi-
mulées derrière les rideaux de leur immunité, elles
épiaient avec curiosité les rumeurs de ce monde
inconnu, le son des voix, les bavardages, l'éclat
d'une colère ou d'un rire et des baisers sous les
lumières dérobées.

Elles ne dansèrent pas. Elles bavardèrent en
aparté et très vite, elles eurent chaud. Et nous quit-
tâmes la boîte.

Sur le chemin du retour, elles étaient satisfaites.
Et telles des ombres, elles imitèrent des pas de
danse, les déhanchements excessifs de la femme-
putain, les colères feintes et les plaisirs déguisés et
rendirent grâces au ciel d'en être épargnées. Que
pouvais-je faire d'autre, l'ami?

J'ai été un bon mari musulman.

(Abdou Traoré)

Mademoiselle Garnier est revenue. Seigneur, qu'est-ce qu'elle est maigre! On dirait un morceau de planche. L'école a repris. Sauf que Lolita est bien triste. Elle devient mauvaise élève et pendant la récréation, elle parle à personne. Elle se tient toute seule dans son coin. On dirait que tout maintenant la déroute et l'inquiète. J'essaye d'avoir de l'attention pour elle mais j'ose pas trop.

Aminata (j'arrive toujours pas à l'appeler maman) est venue nous chercher pour qu'on l'écoute, papa et moi. Elle nous a emmenés dans une espèce de boîte où elle chante. D'abord des chansons de Mireille Mathieu. Ensuite, des qu'elle invente elle-même. Elle a une espèce de

188

voix qu'on penserait jamais pour chanter. Fluette et haut perchée, on dirait un cri d'oiseau blessé. Mais Aminata, ça la gêne pas. Les hommes présents non plus. Et moi après, je me suis habitué. Même qu'à la fin j'aimais ça. Vraiment pas mal. Papa a été tout soufflé. Il en revenait pas.

— Ça me fait drôle, il m'a dit. Comme ça tout d'un coup elle se met à chanter sans prévenir.

— Faut tout de même pas envoyer une lettre recommandée pour ça, j'ai répliqué.

— Ouais, fiston. Mais vraiment! C'est trop drôle. Ça me fait penser à un perroquet. Il est là dans sa cage pendant des années, il dit rien. Et un matin précisément où t'as pas envie qu'on sache que tu t'appelles Truc, il se met à chanter ton nom et la police te chope.

— Dis, papa, tu penses qu'elle en veut à Soumana de l'avoir mise dehors?

— Sûrement. Mais à quoi ça sert? Aminata n'est pas méchante, et elle sait bien que la vie n'est pas toujours très drôle.

— Ouais, j'ai fait. Moi je l'aime bien, Aminata.

— Mmmm, qu'il a dit, l'air surpris. J' me demande bien pourquoi elle est revenue, celle-là.

— Parce qu'elle m'aime.

— C'est sûrement ça...

Sur ce, Aminata s'est mise à chanter :

> *Je suis la putain, c'est mon nom*
> *je suis la putain, c'est mon nom*
> *comme si la putain est un nom*
> *si la putain est un nom,*
> *alors con c'est le nom d'un mec*
> *et si je lui dis pauv' con*
> *c'est sûr qu'il m'en foutra une...*

Aujourd'hui, après la récré, Lolita n'est pas rentrée en classe.

Il pleut.

Elle est restée dans la cour près du grand poteau et elle pleure.

Il pleut toujours.

Je sais pas quoi faire. Je sors, je pose ma main sur ses épaules, je dis :

— Pleure pas.

Elle se dégage. Elle s'enfuit. Je cours après elle. Il fait un froid de chien. Je mets longtemps à m'apercevoir que j'ai rien sur le dos. La cour est vide.

Il pleut encore.

Je vois les gouttelettes de pluie se fracasser sur la tête de Lolita. Elle court jusqu'au gymnase. Toutes les lumières sont éteintes. Je mets un bout de temps à m'habituer à l'obscurité. Elle s'assoit sur le ciment. Elle me regarde, mais c'est comme si elle me voyait pas. Elle dit rien.

— Est-ce que t'as un chien que t'es seule à voir ? je demande.

Elle dit rien.

— Moi, j'ai un chien. Il s'appelle Superman.

Quand j' suis triste, je l'appelle, alors il saute sur moi, il fait plein de bisous et j' suis plus triste. J' peux l'appeler et il te fera des caresses et t'auras plus de chagrin. Plus du tout. Du tout.

Elle dit toujours rien.

Alors, je m'assois à côté d'elle. Je prends sa main. J'attends son retour.

Et je dis :

— Lolita !

Là, elle revient. Elle penche sa tête comme ça sur son épaule. Elle pleure. Je sais pas quoi faire. Je m'approche d'elle. J'essaye de lui montrer un tour de magie. Mais elle veut pas regarder.

— Qu'est-ce que tu veux ? je demande. Il faut faire quelque chose pour que tu soyes plus triste.

— J' veux pas ! j' veux pas ! C'est pour les gosses.

Puis elle crie :

— J' veux plus être une gosse ! J' veux plus être une gosse !

Ensuite, elle cache sa tête entre ses genoux. Je sais pas quoi faire.

Dehors, il pleut toujours.

Je suis frappé d'impuissante stupeur... Vexé aussi car j' suis un gosse.

Je pose ma main sur ses épaules, puis sur ses cheveux.

Dehors, il pleut toujours.

Je défais les rubans qui maintiennent ses nattes. Ils tombent sur le ciment.

Elle lève le visage. Elle me regarde. Quelques mèches cachent sa figure. Je les repousse doucement avec mes doigts.

Je mets mes mains autour d'elle, comme fait M'am quand je suis triste. Une sorte de caresse derrière la nuque. Je la regarde. Du sang coule dans ma tête, frappe fort sur mes tempes.

— Jamais j' laisserai quelqu'un te faire du mal, je dis.

Elle me regarde avec ses yeux. Ils sont géants avec des éclairs gris dedans qu'on dirait le diamant. J' pose ma tête sur ses épaules. Je la tire vers moi, tout contre moi. J'ai chaud... Mon cœur chavire. Je dérive. Elle lève la tête. Elle pose sa figure contre la mienne. Elle tire sur ma chemise. C'est doux comme superdoux. J'ai vu des lumières s'allumer dans ma tête puis se répandre sur moi.

— Je t'aime, qu'elle dit Lolita.

— Faut plus être triste, j' réponds.

— J' suis plus triste. Plus du tout. Du tout.

Elle plaque sa bouche contre ma bouche. Ses mains fouillent dans mes poches. Elles y sont presque. Presque. Elles y sont.

Quelqu'un a crié :

— Oh ! Mon Dieu ! Mon Dieu !

C'est la Taupe. Elle est femme de ménage à l'école. Elle est méchante. Personne l'aime, vu qu'elle est méchante. Elle porte des lunettes avec une chaîne pour pas les perdre.

Elle bondit vers moi. Elle me tire et me pousse. Je glisse. Elle agrippe Lolita et je crie :

— Ne la touchez pas !

Je lui en fous une dans les jambes. Mais elle me jette par terre et je peux plus me défendre.

— Quel scandale ! elle hurle. Quel scandale !

Puis elle part en continuant de hurler.

Lolita est à genoux, la figure par terre comme une danseuse d'Opéra. Elle pleure. Elle pleure, on dirait qu'elle sait rien faire d'autre. Et moi je l'imagine dansant sur la lune dans une belle robe blanche.

— Tu m'aimes plus ? j' demande.

— C'est pas ça, qu'elle dit. Après toi, il n'y a que Danone qui me fait ça.

— Alors, pourquoi qu' tu pleures ?

Elle répond pas.

Dehors, il pleut encore.

— C'est que tu m'aimes plus.

Elle lève des yeux larmoyants, elle me dit :

— Oh, Mamadou, qu'est-ce qu'on va devenir ?

— T'inquiète pas. J' vais m'occuper de tout.

Mon papa a reçu une convocation du Directeur de mon école. Il est colère et frappe de temps en temps le mur avec ses poings. Sûr qu'il meurt d'envie d'en foutre une à quelqu'un. Mes sœurs se tiennent tranquilles. M'am est trop vieille. La Soumana est de plus en plus malade, alors... Et Mademoiselle Esther qui est là depuis hier n'est pas dans son état. Son ventre s'arrondit de plus en plus.

— C'est pour quand ? on lui demande.

— Dans trois mois, elle répond. Et elle prend un autre raisin.

Je sais, Allah ! que Mademoiselle Garnier m'a fait un bébé dans le dos. Mais j' veux pas passer aux aveux.

Le père est fringué comme pas deux. Faut comprendre. Le Directeur, c'est pas n'importe qui.

Devant le bureau, la maman de Lolita est là elle aussi, sauf qu'elle porte un jean avec des baskets. Elle est assise. Elle m'a vu chez elle. Quand elle croit que je la regarde pas, elle me jette de drôles de regards comme si j'étais une bête curieuse. Mon papa va vers le portail, il revient encore, il trifouille son chapeau, il regarde sa montre. Juste au moment où j' pense pas, la maman de Lolita lui demande :

— Vous êtes Monsieur Abdou ?

— Oui, M'dame, il répond.

— Je suis la maman de Lolita, la camarade de classe de votre fils.

Ils échangent un long sourire. Je sais que c'est pas vrai comme sourire. C'est pas le moment de plaisanter. Après, ils trouvent plus rien à se dire.

C'est à ce moment que le Directeur sort de son bureau et il dit :

— Entrez... Entrez, et asseyez-vous, s'il vous plaît.

Nos parents entrent. Lolita et moi, on reste dehors. Au début, elle me regarde pas. C'est comme s'il y avait une sorte de bâche entre nous. Une vieille couverture ou quelque chose que j'ai pas vu. Ma première idée ç'a été : « Je vais enlever ça. Je vais voir ses beaux yeux. » Mais j'ai pas eu le temps. J'avais juste avancé un bras qu'elle a levé la tête, elle m'a regardé, elle m'a regardé, puis elle a dit :

— Mamadou, ma maman va me faire changer d'école.

Je retire mon bras. Il tombe le long de mon corps. De toute façon, mes bras ne peuvent plus rien retirer. Je sais plus quoi faire. Je suis planté là au milieu du couloir avec plein de choses qui tournent dans ma tête. Mais qu'est-ce qui aurait cru ça ! je me dis.

— C'est à cause de c' qui s'est passé. Mademoiselle était hier à la maison. Elle lui a tout expliqué.

Je m'ai mis à avoir les larmes aux yeux. Je me mords les lèvres. Lolita me regarde. Elle sort un mouchoir de ses poches et elle essuie mes yeux tout doucement.

— Qu'est-ce qu'y a comme poussière ici ! qu'elle a dit. Ça donne des allergies.

Là, je pleure franchement. Elle met sa main sur ma tête.

— Lolita !

C'est tout c' que je pouvais dire. Alors, elle a fait comme ça, là sur ma tête, et elle m'a pris contre elle. Elle a un arôme comme M'am.

Quelqu'un a dit :

— Ah, non ! Vous n'allez pas recommencer !

C'est la maman de Lolita. Je vois dans ses yeux que je suis coupable. Que tout est de ma faute. Que c'est à cause de moi si j'aime Lolita, si elle m'aime. Je suis coupable d'aimer. Tout est dit.

Mon papa gueule :

— J' vais t'apprendre à vivre, espèce de... de...

Il a plus de mots. Il faudrait des mots en martinet pour me faire comprendre, mais il n'en a pas. Il bondit sur moi.

— Calmez-vous, Monsieur ! crie le Directeur.

— Calmez-vous ! qu'elle dit la maman de Lolita, faux jeton.

Enfin il se calme. Mais juste comme un serpent qui attend que vos pieds soient assez proches pour vous mordre. Je prends pas de risques. Je m'éloigne. Ils se sont mis à parler. Tout le monde est d'avis que c'est la dépravation des mœurs, la télévision et toutes les mauvaises choses qu'on voit. Ils ont appelé ça influences négatives ou quelque chose comme ça que j'ai pas très bien compris. Ils ont encore cherché pendant pas mal de temps. A la fin, ils ont conclu que c'est vraiment difficile les mômes, ingrats et tout...

Si vous pouvez m'expliquer tout ça, je vous gratifierai de ma reconnaissance éternelle.

Je suis perdu, l'ami. Que faire? Je suis perplexe devant tes traditions que je ne veux ni froisser ni comprendre de peur aussi de m'y perdre et y gâcher ma foi, la plus forte que je tienne, forte de rester sans comparaison. C'est tout ce qui me reste, l'ami. Me restait. Même là aussi, le temps s'est conjugué, malgré moi en dépit de tout.

Je ne t'en veux pas, l'ami. D'ailleurs, je t'aime d'indulgence sublime. Ton vocabulaire, tes mœurs, tes précipitations, le calendrier fou de tes croyances choquent mes sentiments. Je me tais. Je ne voulais surtout pas que tu viennes me traquer où je suis et m'empêcher d'être saint où je peux. Mais tu me fais la guerre. Tes machines perfectionnées envahissent ma maison. Tes idées. Tes croyances. Tes habitudes. Mon corps aujourd'hui est tatoué de tant de questions. Des bribes de démence s'accrochent à mes lèvres.

Mes femmes me boudent et bouleversent la géographie de ma maison. Malheur! Mais un malheur ne vient jamais seul. Voilà que mon fils m'invente d'autres langages. Il déplace les rapports de forces. Il renverse les alliances à mon détriment. Il tisse des réseaux de préférences, ses codes clandestins de références et de mépris.

La chose s'est aussi passée à mon insu. Cela s'était infiltré dans ma vie, insidieux, subreptice, aussi imperceptible qu'un suintement dans un vieux toit.

Tu sais, l'ami, un père bafoué est comme un mari jaloux. J'apprends mon infortune à de nouvelles impudeurs, au choix détonnant d'un vocabulaire, à des jeux, à des indices à peine perceptibles. Mon fils a franchi un cap. Contresens.

Il répugne à mettre la djellaba. Il veut des costumes comme ceux de Stallone, exactement les mêmes, de crainte de se sentir perdu. Ses danses dont la brutalité m'étonne sont conformes aux contorsions des vedettes à la télévision et j'en passe !

Je suis envahi, l'ami, je me perds.

(Abdou Traoré)

Le printemps est là. Il fait beau. Un peu frisquet comme toujours vers Pâques. Tout est déjà bien vert dans Paris. C'est joli. Et vers le soir, tous les immigrés sortent boulevard de Belleville. Certains s'installent dans des cafés. Ils parlent. Ils se taisent. Ils ont rien à se dire. Sauf de la vie de tous les jours. Ils regardent les jeunes filles passer. Quelques-uns disent des gros mots sur le cul bas d'une femme ou sur la démarche de l'autre. Les immigrés raffolent de la chose. Ils en parlent tout le temps. Faut comprendre. C'est plus facile pour eux de parler que de faire, vu que la plupart ont laissé leurs femmes en Afrique.

Moi, j' suis à mon plus mal : Lolita ne me regarde plus. Elle parle à personne. A la récré, je lui cligne de l'œil. Mais on dirait que ses yeux sont télécommandés pour pas me voir. Je suis torturé. Par l'amour. Et par l'absence. Peut-être bien qu'elle m'a jamais aimé ? Des fois, je pense que Lolita m'a jamais aimé, et j' me demande c' qu'elle pourrait bien aimer. Mes cheveux sont crépus. Ma peau est très foncée. Mon nez n'a rien de spécial. Mes lèvres pareil. Mon corps est celui d'un petit garçon. Pas de beaux muscles. Pas de cheveux blonds bouclés. Mon cœur, lui, doit être grand, car il renferme des fleurs de sang.

Je me parle souvent tout seul. J' me dis que c'est la première Blanche que j' connaissais et que tout ça manque bien d'habitude. Qu'est-ce que vous voulez ? Mon papa dit qu'on s'habitue à tout, à la faim, à la soif, aux odeurs et tout, quoi ! Ça pouvait pas aller comme sur des roulettes ! Faut comprendre quand on peut.

Même pas un regard. Pas un mot. Rien n'est fait pour que les peuples se rencontrent, qu'il dit toujours Monsieur Ndongala. Partout il y a des guerres, des assassinats. Pourtant, il m'arrive de rêver. Je rêve que Lolita m'aime, elle aussi. Qu'elle n'a rien oublié. Alors, je lui écris en pensée. Je commence dans ma tête : « Chère Lolita », au milieu de la cour ou pendant que je regarde la télévision, ou la nuit en m'endormant. « Chère, très chère Lolita », et je m'imagine qu'elle reçoit mes lettres et qu'elle me répond : « Cher Mamadou, voilà ce qui se passe dans ma tête… »

Après le scandale, j'ai plus rien osé. J'attends mon destin, vu que ça ne me regarde pas.

A la sortie de l'école, je suis allé au café de Monsieur Guillaume. Madame Saddock est là, moi je fais comme si je l'avais pas vue. Eh ben quoi! Est-ce qu'elle va nous lâcher, à la fin? Monsieur Ndongala est là également. Il est de première élégance. Il porte un pantalon noir avec des bretelles rouges et un nœud papillon. Il est avec mon oncle. Ils causent. Causer n'est peut-être pas le mot. Je ne saurais dire si l'oncle braille ou s'il prêche à le voir agiter ainsi ses bras. A tout bout de champ, il passe sa main sur sa figure, impatient, comme pour essuyer la sueur. Son visage est ombragé. Probable que s'il avait eu une femme sous la main, il lui aurait tapé dessus.

— Tu t' rends compte? dit l'oncle Kouam. Elle me fait cocu avec une femme!

— Ça compte pas, fait le docteur Ndongala. Chez les femmes, c'est une question de circonstances. Il suffit qu'un homme se trouve là au bon moment et...

Je tire une chaise.

— Tu crois vraiment? P't-êt', p't-êt' bien. Faut dire que pour la baise, elle pouvait pas se plaindre.

200

— Tu sais, mon ami, avec les femmes, faut pas mettre le doigt dans le feu. Parole!...

Je m'assois.

— Je t' dis, moi, qu'elle était proprement servie. Tiens, il y a à peine deux mois, j'ai commandé le «Skin force 3». Avec ça, vieux frère, ben! elle te sent passer.

— Et c'est quoi, ça? qu'il demande le docteur Ndongala.

— Ma foi, c'est un médicament que j'ai vu en réclame dans je ne sais plus quel magazine. «Retrouvez la force et la puissance de vos vingt ans!» ça disait, et ça représentait un beau petit brin de fille avec des nichons comme c'est pas permis et puis ça expliquait qu'on pouvait retrouver tout son allant et recommencer à chasser les jupons pour peu qu'on se soit senti un peu ramolli quelque temps auparavant. Alors, j' me suis dit que j'en tâterais bien un p'tit coup. J' te dis pas le résultat, mon gars! Un cheval, c'est de la rigolade à côté! Tu ferais mieux de l'essayer, toi aussi. Mais c'est pas à moi à conseiller un docteur.

L'air de penser à autre chose, le docteur Ndongala tripote son nœud papillon, comme pour être sûr qu'il est bien en place. Il ne le quitte pas des yeux. Et mon oncle Kouam dit:

— Alors, vieux frère, t'es sûr que tu n' veux vraiment pas essayer?

Le docteur Ndongala trifouille sa moustache. Ensuite il fait:

— Pour c' que les gens font avec leur corps dans un lit, j' suis pas plus malin que les autres. Mais si on parle d'amour, j'ai ni besoin qu'on m'apprenne ni de prendre des médicaments. J'ai toujours plusieurs nanas, c'est pas pour autant que j' les aime pas. Au contraire... Et je remercie Dieu qui m'a fait comprendre que l'amour s'arrête pas au cul. Ça me surprend que tu aimes encore Mathilda après toutes les crasses qu'elle t'a faites. Elle t'en a cloué une ou quoi ?

— Cloué, non..., répond mon oncle. Non. Vraiment ! Seulement, le poids de l'expérience. Tu sais, tout le monde en attrape un petit bout un jour ou l'autre. Il suffit de rester en vie et d'attendre. Moi, j'en avais pris un le jour où Mathilda m'a dit qu'au début je la maltraitais et qu'aujourd'hui... Bref, dans les premiers temps, je lui en ai fait voir de toutes les couleurs, que c'en est une honte. Et elle, elle a jamais rien dit. De toute façon, elle n'avait personne à qui parler. Même ses parents ont fait comme si elle n'existait plus, une fois qu'on était mariés. Comme si elle avait disparu de la terre. Et moi, je voulais pas d'elle. Je voulais d'autres femmes, n'importe lesquelles. C'est après, seulement quand elle m'a trompé pour la première fois, alors là, j'ai compris...

— Elle éprouve toujours quelque chose pour toi, dit le docteur Ndongala.

— Bah ! Elle me considère comme un vieil ami.

— C'est pas si mal... Souvent, ça tourne en haine, tu sais.

— C'est vrai ?

— Ouais. T'as pas lu les journaux ? Tous les jours c'est écrit : « Un monsieur retrouvé mort dans la forêt de Fontainebleau. On sait pas qui l'a tué. » Moi, j' suis sûr que c'est son ex-femme à qui il en a fait voir.

Mon oncle fronce ses sourcils puis il dit :

— Je me suis conduit comme un imbécile que j'étais au début. Enfin, il faut bien partir de quelque chose pour faire des progrès. Et il faut bien faire avec ce qu'on a au départ.

— Je suis vraiment désolé qu'elle t'ait quitté, Kouam. Je sais ce que ça fait dans ces cas-là... Oh oui, j'en sais un bout.

— Ça va, Loukoum ? il demande Monsieur Ndongala en se tournant brusquement vers moi.

— Très bien, merci, que je réponds comme un bon petit citoyen.

— Et l'école ? demande l'oncle Kouam.

— Ça va.

— Ça fait longtemps que t'es là ?

— Non, mon oncle, j' dis.

— Tant mieux ! il fait en échangeant un drôle de regard avec le docteur Ndongala.

Décidément, les adultes sont bizarres !

Rien s'arrange. La Soumana est de plus en plus souffrante. La maison devient triste. Tout le monde se paye une mine d'enterrement. M'am n'a plus le temps. Avec la maison, les mômes dans les bras, mon papa et la Soumana, elle a plus le temps. Elle porte de grands boubous sales, ses cheveux ressemblent à un paillasson, mais elle tient le coup. Je l'aide quelquefois. Mais je dois pas faire certaines choses, vu que je suis un homme. Mon oncle Kouam est chez nous presque tous les jours. Depuis que ma tante Mathilda s'est tirée, il est plus le même. D'abord, il a pleuré. Maintenant, il pleure plus. Juste triste. Il bosse tout le temps. Il va au bureau à sept heures et il revient tard dans la nuit. Avant, il était toujours au café. Maintenant, il court partout sauf au café. Un jour, M'am le voit en train d'écrire dans les paperasses. Elle lui demande c' qu'il traficote et il lui dit juste :

— M'am, j'ai appris certaines petites choses. Mais il dit pas qui le lui a appris.

Au bout de deux semaines, on le voit qui dessine des choses. Des plans, ça s'appelle. Il travaille toute la nuit. M'am est forcée de lui dire d'arrêter, sinon il va se rendre malade.

— Mais qu'est-ce que tu fabriques ? M'am demande.

— J' monte un cinéma avec un café dans le bas et de la musique.

— Ici, à Belleville ? M'am lui demande.

— Dans ce coin perdu ? il fait en ricanant. Oh, non ! A Conakry. Ça va bouger !

— Comme coin perdu, M'am dit, Conakry n'est pas mieux.

Moi, j' connais pas, alors j' dis rien. D'ailleurs, personne me demande mon avis.

— L'Afrique est en plein essor, il fait mon oncle Kouam. Et Conakry, c'est la capitale de l'Afrique.

— Mmmmm. Et Mathilda, elle va penser quoi de tout ça ? elle demande M'am. Si elle revient, p't-êt' bien qu'elle aura pas envie d'aller là-bas.

— Elle reviendra pas, il répond mon oncle en continuant à dessiner.

— Qu'est-ce que t'en sais ?

Il n'a pas répondu, mon oncle. Il a juste levé les yeux. Ensuite, il les a baissés sur son travail. Son regard était désordre.

Je ne sais rien, l'ami. Même pas que la terre est ronde. Que le soleil est immobile bien qu'il semble monter et redescendre. Je ne sais pas ce que sont les trois personnes en une seule. Je ne sais pas ce que c'est que le courant électrique. Ni pourquoi les pierres retombent sur le sol. Je ne sais pas lire le français. Je ne sais pas pourquoi la nuit remplace le jour ni pourquoi je préfère les ignames aux choux de Bruxelles. Je ne sais rien. Mais je peux te répéter, obstinément : « Que mon fils est mon sang. J'ai vu sa vie, cette vie que je lui ai transmise, qu'il est le plus précieux de mes biens, le seul que je possède en propre. Il n'était encore rien qu'une pomme, une souris, une grenouille que je m'appliquais à me retrouver en lui. N'est-ce pas le propre de tout père ? Mon fils. Ma continuité. Je devais le tenir à mon imitation. Vaille que vaille sa personnalité devait découler de la mienne, comme dans une plantation de palmiers, avec sa géométrie farcie de refus et de fascination. »

Est-ce trop demander que le fils soit à l'image du père ?

Très jeune, j'emmenais mon fils avec moi pour lui apprendre le secret de nos dieux, comme dans une forêt, en marchant souplement sans prendre

205

garde aux immeubles de brique, aux klaxons des autos, aux vitrines, à la foule bruyante. Je lui apprenais à distinguer d'autres choses à mes yeux plus essentielles : le temps, l'orage, la couleur d'un pâle soleil. Il me faisait confiance. Il me tenait la main, trottinait droit.

Je lui disais :

Chez nous au Mali, les rues sont plus étroites, bordées de manguiers et d'avocatiers.

Aux heures des repas, les concessions exhalent comme des cheminées leurs parfums âcres de piments et d'épices.

Il y a une grande place avec un baobab millénaire qui veille sur la tribu.

Sous les vérandas aux heures de sieste, les vieux, accroupis sur des nattes aux odeurs de foin, marmonnent des prières.

Mais tu sais, l'ami, mon fils peu à peu ne m'écoutait plus. Ou quand il donnait l'oreille c'était avec une moue, la moue d'un présentateur de télévision.

Je connais depuis trop longtemps les tragédies de ma religion, trop longtemps seule à lutter contre le christianisme.

Aujourd'hui, je vois mon fils.

Il a découvert le vocabulaire de Paris. Des mots griffés de vent et d'hiver.

Il a acquis d'autres manières de dire bonjour.

Il connaît des rituels qui me bouleversent.

Il répugne à manger avec ses doigts.

Il impose d'autres conformismes.

Il importe des goûts, des préoccupations.

Il passe sans s'inquiéter d'un univers à l'autre. Le nôtre, il le juge, il le méprise. Mes histoires l'amusent. L'Afrique, le Mali, ma Terre. Notre

Terre — la création de Dieu — toutes ces choses rien qu'à Dieu — ces splendeurs qu'achève la nuit, le moment tranquille où remontent les morts portés en terre, nus.

Nous sommes venus du Nil, mon fils.

Les pharaons nous avaient transformés en esclaves.

L'Islam nous a libérés.

Désormais, nous appartenons à la tribu des Malinkés.

L'ami, mon fils ne m'écoute plus. Je me sens vide de moi-même, volé et mis à sac jusqu'au dernier rêve, jusqu'à la dernière beauté.

Non l'ami, je n'ai pas le goût des mondes vacillants d'incertitudes.

Je ne sais pas résister à tant d'interventions extérieures.

Je ne sais pas résister à tant de subversions.

Je ne sais pas renégocier les contraintes et m'en accommoder.

Je crois que je deviens fou.

(Abdou Traoré)

Je suis en vacances. M'am cuisine. Mon papa est avec Monsieur Cérif. Ils sont là à se regarder, à mâcher de la cola sans se parler. Aminata est là aussi. Elle chantonne quelque chose en se curant les ongles. Elle est maquillée avec des lèvres rouges comme c'est pas possible et ses cheveux sont ébouriffés comme quelqu'un qui sort du sommeil. Elle n'a rien d'autre sur elle qu'une espèce de barboteuse qu'est pas autre chose qu'une petite culotte tenue par des bretelles passées autour de sa poitrine. La culotte ne couvre presque rien de ses longues jambes. Elle fait un peu penser à une mangue bien mûre, à voir comme elle remplit bien sa petite culotte et son truc sur la poitrine, et comme tout ça est bien marron, lisse et rebondi.

Elle lève les yeux et elle me dit :

— Viens dans mes bras, mon bébé... J'ai envie... qu'elle dit.

Moi, je bouge pas. Elle vient me prendre dans ses bras. Elle touche mes cheveux. Elle me prend sur ses genoux, ça fait vraiment bizarre parce que moi, j'ai dix ans au fond... Alors, je m'excuse. Elle insiste. On sonne à la porte. Je vais ouvrir. C'est mon oncle Kouam. Il regarde Aminata et je l'entends qui fait tout bas : «Oh ! Nom d'une pipe !», comme s'il se parlait à lui-même. Alors là juste, il croise les yeux du père qui sont tellement calmes qu'on dirait qu'ils sont morts. Et il dit :

— Quel malheur !

— Faut pas dire malheur, qu'elle dit Aminata. Il dort, faut pas le réveiller.

Tout le monde l'a regardée, l'air comme si elle était un revenant et que sa voix sortait de la tombe.

Personne ne la saisit bien. D'abord elle dit toujours c' qu'elle a envie de dire même si c'est pas poli. Des fois, mon papa la regarde quand il sait que personne ne le voit.

Aujourd'hui, il dit :

— Il y a des comportements que j' tolère pas sous mon toit.

Et le voilà reparti : «Ma femme ne doit pas

faire ci, ma femme ne doit pas faire ça… Je laisse jamais ma femme faire ça… »

Aminata pouffe, puis elle dit avec un large sourire :

— Eh ben, tant mieux pour toi que je suis pas ta femme.

Tout le monde la regarde encore, on dirait qu'elle menace le monde avec des éclairs, des inondations, des tremblements de terre.

— Excusez-moi, elle dit toujours en pouffant.

Alors, elle met la main sur la bouche. Elle baisse la tête.

M'am a préparé du poisson au riz. Tout le monde s'est assis par terre en pique-nique. Et on s'est régalés avec les doigts parce que sans fourchette, on sent mieux l'arôme. Les femmes se sont assises avec nous. C'est à cause du malheur. Il est désordonné et personne ne sait plus qui est qui.

Monsieur Cérif a penché la tête et il s'est mis à réciter une bénédictine. Pendant qu'il parlait, Aminata a tendu le bras et elle a attrapé une grosse tête de poisson, après quoi elle a commencé à manger. C'était vraiment pas des manières et tout le monde l'a regardée, puis on a jeté les yeux en brousse et on a fait comme si elle n'était pas là. Oui, elle était assise aussi, elle mangeait avec beaucoup de bruit, mais c'était comme si elle n'était pas là, elle n'avait pas vraiment de place, vu que c'est pas des manières. Mes sœurs lui passaient les bras sous le nez pour se servir, comme si elle n'était pas là. Elles appellent M'am «Maman», mais Aminata, elles l'appellent «Madame». Le seul qui fait un peu attention à elle, c'est l'oncle Kouam. Il est assis en face d'elle et la regarde par en dessous.

A la fin du repas, Aminata se lève. Elle allume une cigarette. Elle tire une bouffée puis elle dit :

— Bon, maintenant, il faut que je vous mette au courant.

— De quoi ? demande l'oncle Kouam.

— Je m'en vais et Loukoum vient avec moi.

Mon papa tourne sa tête d'un bloc vers elle.

— Qu'est-ce que tu racontes ? il demande.

— Loukoum vient habiter quéques jours avec moi, j'ai dit. Y a un ami qui me prête sa maison de campagne. Pas loin de Paris. Il y a de la verdure là-bas et des animaux. Il y a rien de plus fortifiant pour un gosse.

— Faudra d'abord me passer sur le corps.

— C'est comme tu veux, qu'elle dit Aminata sans se démonter. Mais c'est vraiment stupide de ta part. Tous nos grands hommes, Mitterrand, de Gaulle, Senghor, Delon, Frank Sinatra, Martin Luther King, ils ont tous grandi dans une ferme. Penses-y un peu, c'est l'idéal pour un gosse : donner à manger aux poules, aux oies, aux canards, traire les vaches, monter à cheval...

Là, Aminata s'arrête, s'étrangle un petit coup et dit :

— Réflexion faite, il n'y a pas de chevaux là-bas. Mon ami Malim Hassey ne les supporte pas, même en photo. Des ânes à gogo, oui. Je te demande, Abdou, peux-tu imaginer endroit plus sain, plus fortifiant, pour un garçon en pleine croissance ?

Aminata a des larmes aux yeux rien qu'à imaginer combien ça va être fortifiant d'être là-bas.

Le père, il me regarde, il va comme pour se

lever, il regarde la créature, ensuite il regarde M'am.

— C'est ton fils, après tout, qu'il lui dit à M'am.

— Ouais, qu'elle répond. Mais je pense que l'enfant a besoin de sa mère, sa vraie mère, j' veux dire. Et pour c' qui est de te passer sur le corps, j'ai justement besoin d'un paillasson à l'entrée.

— Hein, quoi? Qu'est-ce que tu dis?

Les autres restent bouche bée autour du pique-nique.

— Que t'es un égoïste, un minable, et qu'il est temps que tu regardes un peu autour de toi, voilà c' que j' dis.

Le père bafouille.

— Mais...

— Il n'y a pas de mais. Aminata peut emmener le gosse pour quelques jours. C'est vrai qu'il va me manquer, mais j'ai ma part de malheur dans ce monde pour rire le restant de mes jours.

— L'emmener! Mais tu dérailles!

— Hé là, minute! fait l'oncle Kouam.

— Toi, d'abord, la ferme! Si t'avais pas voulu jouer au petit patron avec ta femme, elle t'aurait pas quitté pour une femme.

— C'est pas une vraie femme. Une femme qui se fout de c' que peuvent bien penser les autres...

— Elle est son propre chef, voilà tout, qu'elle dit M'am.

Ensuite, il baisse la tête.

Moi, j'ai arrêté de mâcher tant j'en reviens pas que M'am parle sur ce ton-là.

— Ah, là! Non! Trop c'est trop! Ou elle s'en va, ou c'est moi qui pars, il dit Monsieur Cérif en frappant des deux poings sur la natte.

Je suis vraiment inquiet dans la circonstance, car il y aurait plus personne pour chasser les démons auprès de la Soumana. Alors, je demande à mon oncle Kouam à voix basse pour pas être entendu de Monsieur Cérif :

— T'as vraiment idée qu'il va s'en aller ?

— Penses-tu ! A ce que je vois, t'as rien pigé, fiston. C'est le genre de gars qui s'est mis en tête que son devoir, c'est de traquer le péché partout, de rester collé après et de le surveiller tout le temps, de façon à toujours avoir quelque chose à lui reprocher et à ne pouvoir jamais penser à autre chose.

— T'as raison, que je dis.

— T'inquiète pas pour Cérif. Il aime trop l'argent et c'est pas en agitant sous son nez un cul tout noir et en disant des grossièretés que le diable arrivera à le chasser d'ici.

Ils ont encore discutaillé un bout de temps et finalement, ils se sont mis d'accord avec Aminata pour la ferme et ils m'ont permis d'y aller. Mais le père l'a prévenue que si elle ne se comportait pas correctement ou qu'elle s'attirait le moindre ennui, elle n'allait plus me revoir pour de bon. M'am a préparé mes bagages. L'oncle Kouam a proposé de nous déposer, alors, il a pris mon sac. Mon papa l'a regardé vraiment autrement et il a dit qu'il nous accompagnait jusqu'à l'auto.

Aminata marche devant. C'est drôle comme son cul sautille dans sa barboteuse. On est descendus en silence, sauf l'oncle Kouam qui disait de temps en temps : « Sacré nom d'une pipe ! » Comme pour lui-même. A voix basse.

Et pendant que nous descendons les escaliers, je demande à mon papa :

— Elle est vraiment gentille, ma maman. Tu crois qu'elle gagne beaucoup d'argent ?

— Dans son métier, ça m'étonnerait qu'elle n'en ait pas, il répond. Mais c'est dangereux, qu'il ajoute en regardant fixement l'oncle Kouam.

— C'est contagieux ? j' demande.

— C'est pas le métier qui est contagieux, mais les maladies, fiston. (Et là, il s'arrête et dévisage tranquillement l'oncle Kouam.) Et j' te crois assez de bon sens pour pas aller faire une bêtise pareille.

Là-dessus il me claque un baiser sur le front et remonte à la maison.

Je lève la tête et au même moment, je vois Madame Saddock qui fait semblant de compter les voitures sur le trottoir d'en face. Elle baisse pas les bras, celle-là ! C'est vrai quoi, les Blancs ne s'avouent jamais vaincus, c'est mon papa qui l'a dit. Quelle peste !

Nous sommes montés dans la voiture et voilà que tout à coup, Madame Saddock court vers nous :

— Loukoum ! Loukoum ! qu'elle crie.

— Qui c'est celle-là ? qu'elle demande Aminata. Tu la connais ?

— Ouais... Bof, je fais.

Madame Saddock penche sa grosse tête vers la vitre et demande :

— Tu voyages ?

— Eh oui, Madame.

— J'emmène mon fils en vacances, fait Aminata. Nous allons à la campagne. Rien de tel pour fortifier un gosse. Je suis sûre qu'il va revenir en pétant le feu.

213

— Votre fils ? qu'elle demande Madame Saddock avec une tête qui n'en revient pas.

— Ben, oui, Madame, qu'elle dit Aminata en éclatant de rire. Y a rien d'étrange à cela.

Madame Saddock a marmonné quéque chose entre ses dents, mais personne a rien entendu, vu que mon oncle a démarré à ce moment-là.

Nous sommes partis, mais on s'est perdus dans les embouteillages et on ne savait plus où on était. Paris, c'est beaucoup plus grand que n'importe où. Et il y a tellement de rues et de voitures que si on se met à rouler dedans, on est sûr de dormir là et de crever de faim sans que ça dérange personne. On a pas tardé à se retrouver bloqués dans une rue où il y avait plein de magasins avec des vêtements de luxe. Mon oncle Kouam a gueulé un coup pour appeler un flic en uniforme marine avec sa casquette sous le bras.

— Comment s'appelle cette rue ? demande mon oncle.

— Le Faubourg-Saint-Honoré, Monsieur, qu'il répond, l'air crâneur.

— Alors, comment on fait pour aller à Montaban-les-Oies ?

— Pfff, dit le policier, c'est compliqué. Attendez un instant.

— C'est ça l'ennui avec ces bleds paumés, qu'il dit mon oncle Kouam. Où qu'on veuille aller, on y est déjà sans être allés plus loin. Le mieux serait d'y aller demain, on y verra plus clair.

— Tout à fait, dit Aminata en sautant presque de joie. Ramène-nous à la maison.

— A la maison ? je demande. On ne va plus à la ferme chez ton ami Malim Hassey ?

— T'es pas fou! J'ai seulement dit ça pour en reboucher un coin à cet idiot d'Abdou.

J'étais quand même triste, vu que l'idée d'habiter la ferme me plaisait drôlement. Mais j'ai rien dit. Ça sert à rien de discuter avec une femme lorsqu'elle a des idées. Enfin, on a pris Montparnasse. Mon oncle Kouam était préoccupé. Quelque chose le travaillait. Ça se voyait. Mais c'était vraiment drôle, vu qu'il n'arrêtait pas de dire: «Nom d'une pipe!» Et à marmonner Dieu sait quoi d'autre. A un moment, on a manqué d'entrer dans un cylindré de six tonnes. Mon oncle Kouam freine. Le camionneur gonfle les joues et devient tout rouge.

— Fils de pute! qu'il crie. On n'est pas à Ouagadougou ici!

— Ça intéresse personne! gueule l'oncle.

— Qu'est-ce que tu dis? qu'il demande le chauffeur.

— Que t'es un con!

Le camionneur range un peu son camion. Derrière nous, des gens klaxonnent et traitent l'oncle Kouam de tête de lard. Le camionneur s'amène en courant en tâchant d'esquiver toutes les autos, la figure encore plus rouge. La rue s'est un peu dégagée devant nous. L'oncle Kouam attend qu'il se rapproche. Alors là, il lève un doigt et fait: «Tsss!», puis il démarre comme une fusée et passe le carrefour juste avant le feu rouge. Après ça, on tourne un coin, et le camionneur, on l'a plus jamais revu.

Aminata est aux anges. Elle rigole, elle se tourne et me lèche la figure trois ou quatre fois. Elle baisse la vitre. Elle passe la tête pour faire des grands sourires à tous les gens sur le trottoir.

— C'est marrant, ces Blancs! Z'ont le culot de nous faire croire que si l'Afrique est pauvre, c'est de notre faute. Comme qui dirait, on n'est pas assez malins pour s'en sortir. On dort tout le temps, on baise et on travaille pas. J' me demande bien comment eux ont eu besoin des nègres pour s'en sortir aux Amériques s'ils travaillent tant qu' ça.

— Mmmmm… Mmmm…, il fait mon oncle.

Visiblement, l'histoire d'Aminata n'intéresse pas beaucoup mon oncle. Alors, j' demande :

— C'est loin, ta maison ?

— Pas tellement, s'il y avait pas tous ces bouchons.

— Pourquoi qu'on ne va pas à la ferme ?

Elle se tourne, elle me regarde, elle pousse un grand soupir en secouant vaguement la tête.

— Peut-être bien que je commence à me faire vieille pour prendre des vraies vacances. Faut ou bien être jeune et péter le feu et être prêt à tout risquer, ou alors avoir beaucoup d'argent. En France faut pas s'aventurer sans cacahuètes.

— Mais t'as du fric ? que je demande.

— Oh ! le mauvais temps viendra assez tôt, alors, faut prévoir.

— Si tu te mariais…, qu'il commence l'oncle Kouam.

Mais là, il arrête de parler net, comme s'il avait lu un panneau Stop.

L'appartement d'Aminata est très grand. Presque aussi grand que celui de Lolita. Avec des tortues, des éléphants, des fleurs, des arbres en faux, bien sûr, des gros, des petits, sur les commodes et même sur les rideaux, et des zèbres sur le couvre-lit. Il y a des toilettes et un salon où elle reçoit les invités, des gens que je ne connais pas et que je revois jamais deux fois.

Elle m'a donné une chambre. Ma chambre à moi donne derrière sur un petit jardin avec une fontaine et des fleurs. C'est la première fois que j'ai une chambre bien à moi.

— Comme ça, tu profiteras du soleil le matin, elle dit.

— C'est chouette ici, je fais. Ça me plaît bien.

— Tant mieux, qu'elle me répond. J'ai idée que...

Mais elle finit pas sa phrase. Quelqu'un sonne. Elle court ouvrir. Je la suis.

Y a un Monsieur. Un Monsieur comme on voit à la télévision. Mais celui-là, à la minute que mes yeux se posent sur lui, je sais déjà que j'aime pas ce type. J'aime pas sa dégaine, j'aime pas ses dents, j'aime pas ses yeux ni la façon dont il est habillé. Et en plus, il sent mauvais.

— Entre, entre, qu'elle dit.

Mais c'était pas la peine, il est déjà dans le salon. Il porte un complet de flanelle croisé. Il me quitte pas des yeux.

— Qui c'est, celui-là ? il demande à Aminata.

— Mon fils Mamadou.

Il allume une cigarette et continue de nous regarder comme s'il avait une idée derrière la tête. Il est blanc, mais un peu foncé avec des yeux gris drôlement froids quand il vous fixe. Des cheveux noirs ondulés et une de ces moustaches qui ont l'air d'être faites au stylo. Il doit avoir un handicap avec le bras gauche parce qu'il le tient écarté de son corps. Et quand il porte la main à sa bouche pour allumer une cigarette, le veston bâille un petit peu. Et j'aperçois une courroie de cuir en travers de sa poitrine. Cela doit soutenir le bras. Il nous regarde encore, puis il demande :

— Il va pas habiter ici, j'espère ?

Aminata ne répond pas. Et les yeux de Monsieur Mohammed ben Sallah sont plus froids que jamais.

— Aminata, je croyais t'avoir dit qu'il n'était pas question d'avoir un môme ici.

— Ça va, ça va. C'est juste pour quéques jours.

— Et comment tu vas t'en sortir ? Qui va garder le môme ?

— J' vais me débrouiller.

— Je vais me débrouiller, qu'il répète en la regardant d'un œil mauvais. Elle est bien bonne, celle-là ! Jouer la nounou... Je suis ton impresario et c'est à moi à te dire ce qui est bon pour toi.

— Le môme reste là, Aminata répond. Juste quelques jours. C'est pas un drame ! Je vais me débrouiller.

— Et voilà tout ce que tu trouves à dire ! Je vais me débrouiller... Je suis pas assez couillon pour gober ça. Si jamais...

Et là, il met sa main dans sa veste et sort quelque chose qu'il pointe vers Aminata. C'est un pistolet. J'ai soudain la vessie trop pleine. Mais j'ai pas envie de faire pipi. Je suis frappé d'incapacité. Je vois plus que ses yeux. Une expression d'horreur. Je regarde ses yeux, puis la porte. Elle semble à des milliers de kilomètres. Aminata s'inquiète pas des menaces de Monsieur Mohammed. Elle va vers le bar. Elle emplit un verre puis elle se tourne et demande :

— Tu prends un verre ?

— Non ! Pas avant que ce môme foute le camp d'ici.

Là, Monsieur Mohammed, il prend son pistolet et le pointe comme ça vers moi. Il tourne le cran de sûreté de son pistolet comme pour être sûr que tout fonctionne. J' le quitte pas des yeux. Ensuite, il passe sa langue sur ses lèvres.

— Arrête ! Tu veux ? elle demande. Range ton joujou, sinon tu vas faire peur au p'tit.

— Tu fais c' que je te dis ou t'es morte !

— C'est toi le mort, regarde-toi ! elle dit avec un large sourire.

Il range son pistolet l'air penaud et moi je fais « ouf » !

Aminata sert tout le monde. Moi, j'ai droit à un Coca bien glacé. Ensuite, elle va s'asseoir et étire ses jambes et allume une cigarette. Monsieur Mohammed, tout radouci, met de la musique et s'assoit à son tour. Il me regarde et il dit :

— Chouette comme appartement, n'est-ce pas ?

— Ouais, j' réponds.

— J'ai senti au premier coup d'œil que cette maison va faire un bien fou à Aminata. C'est exactement ce que j'espérais quand j'ai décidé de m'occuper d'elle. C'est ici qu'elle trouve le repos qu'exige son métier. Tu ne te rends pas compte, p'tit, de la vie exténuante que les obligations mondaines imposent à une jeune fille qui veut faire son entrée dans le showbiz. Jamais une minute de détente. C'est dur d'être une débutante.

Aminata approuve d'un signe de tête.

— Tu parles, Mohammed !

— Et avec la pollution des villes qui sape la santé... Bref, sans ça, elle y aurait laissé sa peau.

Aminata vide son verre et le repose sur un guéridon. Elle se lève et va vers la cuisine. Elle tangue un peu en marchant. J' suis inquiet. Elle reste isolée. J'ai l'impression qu'elle a le mal du pays ou quelque chose comme ça. Au fond, je l'aime bien, Aminata. Je lui en veux pas de m'avoir abandonné. La vie l'avait travaillée. Monsieur Mohammed m'explique les difficultés du métier. Cet appel à toutes les énergies pour créer et qui nécessite une disponibilité absolue ou quelque chose que j'ai pas très bien compris. Ensuite, il se lève sans crier gare et va dans la cuisine.

A cet instant, j'entends la voix d'Aminata. Elle crie :

— J'veux que tu me laisses tranquille durant quelques jours ! J' veux rester avec mon fils. Si tu veux, j' te donnerai soixante pour cent des recettes. Je m'en fous ! Mais je veux la paix !

— Calme-toi, ma poule. C'est pour toi que je le dis. Tu sais, dans ce travail, il suffit qu'on ne soit plus dans le coup ne serait-ce que huit jours et on perd la main.

— J'ai pas l'intention de m'arrêter... Je vais m'organiser, voilà tout !

— Pas question ! Sinon, je fais un malheur.

— A tes souhaits !

Il est revenu au salon, il m'a regardé avec ses yeux qui voulaient tout déchirer. Il m'a fait un salut de la tête et il est parti. Je ne l'ai plus revu.

Ensuite, on a ouvert une bouteille de champagne pour fêter l'événement. Elle s'était refait une beauté pour le champagne, mais la petite barboteuse qu'elle a maintenant est toute pareille à l'autre, à part qu'elle est rayée comme un bâton de sucre d'orge. Elle a des sandales jaunes, avec une courroie qui lui passe entre les doigts du pied, et ses ongles sont tout rouges. A son poignet, elle a un gros bracelet très lourd, et à une cheville une petite chaîne en or. Elle a rempli nos verres et on a fait tchin-tchin. On a fini le champagne, j'étais assis dans le fauteuil à côté d'elle et je faisais vraiment bonne figure.

— C'est quoi qu'il te veut, ce bonhomme? je demande.

— Rien, mon chéri, t'inquiète pas.

— Si jamais il te fait du mal, j' te jure que j' le tuerai.

— Dis pas ça, Loukoum! D'ailleurs, quand j'aurai assez d'argent, on s'en ira loin d'ici tous les deux. On ira au Canada.

— Qu'est-ce que c'est, le Canada?

— Le Canada? Je vais te le dire. (Elle allume une cigarette et s'étire les jambes.) C'est le plus grand espace du monde où il n'y a pas le moindre maquereau à part quelques Indiens. Voilà des années que je projette d'aller au Canada, mais je n'ai jamais eu assez d'argent pour y aller. Une fois, c'était au début, je voulais aller au Canada. Je démarre ici au petit jour, sans respirer pour pas perdre courage. Mais plus j'y pensais, plus j'avais le trac, et à moins de cinquante kilomètres, je me suis dégonflée et j'ai fait demi-tour. Je n'ai plus jamais essayé depuis.

Elle roule son verre entre ses mains, puis elle se lève brusquement et dit:

— Peut-être bien que...

Elle va dans sa chambre, elle ramène des

tonnes de papiers. Elle prend un crayon, elle calcule, elle efface, elle recalcule.

— Rien à faire, qu'elle dit. Sans thune, tu vas pas bien loin. Et on se retrouverait à travailler Dieu seul sait dans quel bled et à faire on ne sait quoi. C'est pas sain, ces endroits, c'est moi qui te le dis.

Ensuite, elle prend une carte du monde, elle trace une ligne horizontale. Elle refait des comptes, c'est pareil :

— On manquerait d'argent, juste au niveau de Buenos Aires ou à Rio de Janeiro. C'est pas la peine d'insister. On y arrivera jamais ! On va se retrouver coincés pile au milieu de la forêt amazonienne. La seule chose à faire, c'est de travailler dur pour ce putain de Mohammed et d'attendre tranquillement que j'aie fait assez d'économies… Bonne nuit, mon chéri.

J'ai fait youpi ! dans mon cœur, parce que, pour dire vrai, je voulais pas partir nulle part sans la Lolita. Alors, je m'ai levé, je suis allé vers la porte, je m'ai tourné vers elle et j'ai dit :

— Y a pas de quoi se biler pour le Canada, c'est moi qui t'y amènerai.

Je tombe comme une pierre dans un puits noir qui est sans doute la mort.

Dans ma tête, c'est le vide ou alors un gros nuage noir.

J'ai perdu la mémoire. Et tout ça, pourquoi?

J'ai des femmes qui finissent par m'étrangler dans mon sommeil.

J'ai un fils qui ne me prolonge pas.

Il a repoussé ses frontières. Il a installé son monde dans ton monde à toi, l'ami, là où je ne peux pas pénétrer, car sa nation, la tienne, l'ami, s'est formée et se protège jalousement. Sens interdit, je ne passe plus.

Aujourd'hui, sans réelle parenté, sans amours et plein de remords, mon monde explose en gerbe de feu dans mon crâne.

Pourtant encore en moi les velléités d'une bataille, d'une époque révolue. Je veux conjurer dès aujourd'hui les menaces de son achèvement. Très fort et très haut, je préférerais tout garder en place comme avant moi mon père, comme avant lui le père de mon père. Mais voilà! Un grand vent me disperse, m'éclabousse de haines, de logiques imperturbables fermées sur mon bonheur. L'époque a choisi ma fin.

J'ai regardé le ciel, l'ami, rien que le ciel. J'ai lu une mémoire qui a ses consonnes plantées ailleurs, sous une case, dans une prison, dans une forêt.

Je fais le compte des paysages défunts, des comportements hors du temps.

Rien ne m'appartient sous ce ciel d'hiver.

J'écris pour le passé. Une tranche de quelque chose qui a ressemblé à une vie. A ma vie. Je m'applique. Une tranche de vie doit s'énoncer en quelques lignes. La mienne malgré mes efforts, tu ne la comprendras pas. D'autant plus que quelque part une maîtresse, un intellectuel t'a donné la dictée de mes sentiments. Et la mention de polygamie, de continuité de la lignée te confirmera dans ton jugement. Question de race. Ou d'époque.

J'aurais bien mérité tout ce qui allait suivre...
(Abdou Traoré)

La chambre d'Aminata est de l'autre côté, elle donne sur la rue. La rue Montmartre, ça s'appelle. Aminata travaille tard et se lève tard. Il y a des roses sur les meubles, des lilas aussi. Mais il y a pas d'éléphant ni de tortue. Elle dort dans la soie. Elle a un lit large comme je ne savais pas qu'il y en a.

— J'ai envie de me bâtir une maison sur l'eau, elle fait. Mais tout le monde dit que c'est débile, si tu vois c' que je veux dire. On peut pas construire des fondations. Quand même j'ai fait des plans comme j'ai pu et un de ces jours...

Et elle me montre. C'est une grande maison toute rose et blanche comme un gâteau d'anni-

224

versaire, avec des portes et des fenêtres et des pots de fleurs tout autour.

— Elle est en quoi ? je lui demande.

— En terre. Je n'ai rien contre le béton, faut voir. Ils ont bien construit le train sous la Manche, alors.

— Moi, j'aime bien celle-ci, je dis.

— Ouais, elle n'est pas mal, mais elle n'est pas à moi, mon âme n'y habite pas.

Et elle m'explique comment on construit les maisons. D'abord, tu fais couler le béton, tu le laisses prendre, tu enlèves le coffrage. Peut-être bien que je serai maçon un jour, mais en y réfléchissant bien, je crois que j'ai pas envie parce que c'est pour les Portugais à cause de la division internationale du travail. Alors, elle m'explique quel genre de bois et tout. Et moi, je dessine comme des cheveux, les cheveux de Lolita tout autour de sa maison. Un genre de banc comme une jupette où on s'assoit quand on est fatigué de l'intérieur.

— Superbe ! elle dit. On va lui mettre une bâche dessus.

Elle prend un crayon et elle dessine de l'ombre pour la bâche. Et aussi des jardinières partout.

— Avec des mimosas dedans, j' dis.

— Des flamboyants, ici.

— Deux ou trois frangipaniers là.

— N'oublie pas les bougainvillées.

— Et des animaux aussi. Des éléphants, des zèbres, des tortues...

Bref, on s'amuse comme des dingues. Quand on a fini notre maison, on dirait qu'elle peut s'envoler !

Et pour la cuisine, j' vous jure que personne

arrive à la cheville d'Aminata quand elle décide de la faire. Elle se lève tôt et va au marché acheter des choses fraîches. Après, elle s'assied sur le tabouret dans la cuisine et là, elle nettoie le poisson, la salade, elle épluche les pommes de terre ou les carottes. Et puis, elle allume sous toutes les marmites et pendant que ça cuit, elle met la radio.

A midi, c'est prêt et on va à table. Du poulet, des œufs, des frites, de la mayonnaise. Bien sûr, il y a aussi des mangues, des avocats, du nfoufou et des bouts de papaye trempés dans du vinaigre. Alors, on mange comme quatre, en buvant du vin de palme ou de l'eau.

Après, on va s'écrouler sur le canapé devant la télévision. Des fois, elle lit le journal tout haut. C'est toujours des histoires dingues. Les gens se disputent, s'assassinent, se calomnient et personne n'a l'air de vouloir la paix. Moi, ce que j'aime, c'est le bonheur que j' me paye avec Aminata. C'est vrai que je sens plus rien, alors, j' suis heureux. Quelquefois, elle m'amène au café où on peut manger des glaces aux pistaches. Y a pas mieux qu'une glace à la fraise. Avant, j'aimais bien la glace au café. Mais depuis que je sais pour les prix des matières premières qu'ils importent de l'Afrique à bon prix, moi je mange plus de cette sauce-là. Solidarité oblige. Solidarité dans la lutte d'un peuple à disposer de lui-même. C'est Monsieur Ndongala qui me l'a dit.

Les périodes de repos durent pas longtemps. Et bientôt Aminata repart travailler. Avant, elle nous fait un grand dîner et un grand coup de nettoyage. Elle met une culotte en cuir, des bottes qui lui arrivent jusqu'aux cuisses et un pull col roulé qui moule bien les mamelles, vu que c'est c' qu'un client remarque d'abord. Elle va toute la nuit et elle revient le matin les yeux rouges, une haleine épouvantable et l'air crasseux.

Quelquefois, mon oncle Kouam nous rend visite. On dirait qu'il a perdu sa tête. Il dit tout le temps : «Sacré nom d'une pipe!» Aujourd'hui mon oncle Kouam est venu manger avec nous. Après le repas, Aminata chante. Une chanson à elle. Le titre, c'est *Je cherche un mec*. Elle regarde mon oncle pendant qu'elle chante. Lui, il se gonfle comme un crapaud qui voudrait se faire comme un taureau. Tout juste s'il tombe pas de sa chaise. On dirait que mon oncle va la manger des yeux. Elle a une robe rouge à fleurs décolletée dans le dos, qui colle bien à sa peau satin noir, ses jolis petits souliers jaunes, et ses cheveux longs si brillants. Eux, ils continuent à se regarder. Je pourrais pas être là du tout que pour eux ça serait pareil. Je baisse mon nez dans mon assiette. Mon oncle aime bien Aminata. Ça lui plaît de la regarder. Moi aussi, j'aime bien. Mais Aminata n'a chanté que pour lui. Elle n'a regardé que lui pendant qu'elle chantait. Enfin, c'est comme ça, je sais bien. Mais alors pourquoi j'ai tellement le cœur serré ? Après, elle lui a pris sa main et ils sont allés dans sa chambre.

J'ai pris l'annuaire. J'ai regardé. J'ai trouvé Calénolli. C'est le nom de famille de Lolita. J'ai composé le numéro. Ça a sonné. J'ai le cœur qui bat. Je suis nerveux. Une fille répond et elle dit :

— Allô ?

— Allô, Lolita ? j' demande.

Je tremble de plus belle.

— C'est Mamadou de l'école.

Mais sa voix a quelque chose. On dirait que c'est pas Lolita. Je déduis qu'elle pleure.

— Oh, Mamadou! qu'elle dit. Je pars ce soir en pension. Ma maman dit que le milieu ici me convient pas. Qu'il y a des tas de copains là-bas, que j'oublierai.

— Non! j' fais. Tu vas rester avec moi. Nous allons partir.

— Comment on va faire?

— On va s' marier.

— Mais on a pas d'argent, Mamadou.

— J' vais trouver du travail.

— T'as pas de métier, qu'elle répond, et tu es tout p'tit.

— J' suis un mec et...

J'ai pas le temps de finir qu'elle me coupe les mots dans la bouche.

— Attention, Mamadou. Voilà ma maman. Il faut que j' raccroche. Je t'écrirai.

Je tremble des pieds à la tête. Je m'affale sur le canapé. Bientôt mon menton est tout mouillé de larmes. Je n' sais plus quoi penser.

Voilà que j'entends mon nom.

C'est Aminata qui m'appelle: «Loukoum, fiston...» Alors, je lève les yeux et elle répète mon nom encore. Elle dit:

— La chanson que je vais chanter maintenant s'appelle *Loukoum*, parce que c'est toi mon fils qui m'as sortie du fond du trou.

Je la regarde encore, puis j' pense qu'elle ressemble à une rose géante.

Elle fredonne d'abord, puis elle commence à chanter avec des paroles. Ça parle d'un sale type qui lui a piqué son enfant et qui l'a fait souffrir.

228

Mais là, j'écoute pas vraiment. Je la regarde et je vois Lolita danser dans la lune.

C'est la première fois qu'une femme chante rien que pour moi.

Mon papa a autorisé Aminata de me garder une semaine en plus. Aminata est bien heureuse. Et moi aussi. Mon oncle Kouam est chaque jour chez nous. Il l'accompagne dans son métier, ensuite ils reviennent et couchent dans le même lit. Je les entends rigoler, bavarder et se chahuter jusqu'au petit jour.

La première fois qu'ils ont mis ça, Aminata m'a demandé si ça me gênait pas... Les sentiments, qu'elle a dit, ça se contrôle pas. C'est comme une bombe quand ça vous tombe dessus.

Je pensais que ça m'était bien égal, qu'elle pouvait coucher avec toute la terre si ça lui faisait plaisir. Mais j'ai rien dit.

Le troisième jour, j' lui ai demandé :

— T'as pas peur de tomber enceinte ?

Elle a rigolé, puis elle a dit :

— Quelle idée ! J' prends la pilule.

— Tu l'aimes vraiment, l'oncle Kouam ?

— J'ai comme une passion pour lui. Il y a des tas de choses qui me plaisent en lui. Et il m'amuse. Il me respecte. Si je devais me marier, ça serait avec lui.

— Ça te plaît de coucher avec lui ? j'ai demandé encore.

— Quelle idée ! D'ailleurs, t'es trop jeune pour comprendre certaines choses.

J'ai pas osé lui dire que j'en savais déjà tellement que j'ai perdu ma jeunesse.

Alors, je prends mon crayon et j' dessine une femme. Elle est comme la lune avec un bonhomme qui travaille dedans son ventre. Pendant que je dessine, Aminata fredonne quelque chose. C'était affreusement triste sa chanson. Soudain, elle s'arrête de chanter, elle me regarde avec des yeux de chien battu :

— Faut que j'y aille, elle dit en regardant sa montre. Le boulot m'attend.

Elle se lève, elle prend son sac et elle me demande :

— T'as besoin d'argent ?

J' réponds pas. Je baisse la tête. Et je continue mon dessin.

— T'es un garçon formidable, tu sais ? C'est génial, ton dessin.

— Bah, c'est facile quand on a rien à faire de son temps.

— Tu t'ennuies ? J' croyais que ça te plaisait.

— Bien sûr, maman. (C'est la première fois que je l'appelle « maman » et ça me fait drôle.) Mais j' dois bientôt retourner à l'école.

Elle me regarde. Elle me caresse la tête. C'est sympa et dommage. J' pense à mon papa, à M'am et à la Soumana, et j' pense que c'est quand même dommage.

Je suis retourné à la maison. La Soumana n'est plus là. Personne n'en parle. Rien. Effacée. J'ose pas poser des questions. Ma sœur Fatima fait des cauchemars la nuit. Elle hurle. Elle réveille toute la maison. Elle dit qu'elle vient de voir sa maman dans le ciel avec une tête de lumière. Elle pleure. Mon papa la prend dans ses bras et la console. Mon papa a beaucoup changé. Maintenant, il aide M'am pour les enfants et à la cuisine aussi. On dirait qu'il a pris des millions d'années en deux semaines. C'est comme s'il s'était passé quelque chose sur la terre qui fait qu'il n'est plus le même. Il parle à M'am avec respect et quelquefois, il lui fait des caresses comme ça qu'on dirait des petits bisous dans le cou. Je l'avais jamais vu faire ça auparavant. Il lui parle souvent gentiment, mais M'am on dirait qu'elle y croit pas trop. Alors, elle éclate de rire et recule.

M'amzelle Esther nous rend souvent visite. Sa bulle devant. Son corps au milieu. Son sac derrière. Elle s'affale sur le fauteuil de mon papa en respirant fort. Sa montagne regarde la télévision. Elle enlève ses chaussures. Elle étale ses jambes. M'am lui sert des petits gâteaux, des raisins secs, des beignets, de la bouillie, du poisson au riz... Mais elle repousse tout cela avec dédain.

— Tu veux quéque chose d'autre? J' te prépare quoi? demande M'am.

— J' veux des fraises.

M'am descend acheter des fraises. M'amzelle Esther n'en veut plus. Elle réclame du chocolat. M'am s'exécute sans rechigner. Mon papa soupire. Il dit rien. Il lui passe tous ses caprices pour pas contrarier le bébé.

Aujourd'hui, M'amzelle Esther est vraiment d'humeur massacrante. M'am lui a préparé des soyas très relevés comme elle aime. Mais elle a repoussé le plateau sans rien dire. Un moment, elle est restée immobile. Ses yeux fixaient le plafond. Sa bulle montait et descendait, montait et descendait, et ses mains étaient croisées dessus. Alors, elle s'est mise à pleurer, et mon papa a demandé avec inquiétude :

— Ça va pas?

Elle a secoué la tête.

— Le bébé?

— Tu me détestes, n'est-ce pas? elle a demandé.

— J' te déteste pas, il a répliqué mon papa.

— Alors, pourquoi tu touches jamais mon ventre? Personne n'aime les femmes enceintes, elle a gémi. J' le vois bien. Dans la rue, dans les magasins, partout. Les passants me dévisagent tout le temps. C'est affreux!

— C'est dans ta tête, qu'il a fait mon papa. Tout le monde t'aime bien.

— Et Kaba, il était si gentil avec moi! Maintenant, il me regarde plus.

— C'est pas important, il a dit mon papa.

— Et comment que c'est important !

Elle s'est mise à sangloter plus fort. M'am a traversé la cuisine très vite sans un mot. Elle a pris M'amzelle Esther dans ses bras, elle a caressé ses cheveux, puis elle a demandé à mon papa avec colère :

— Tu as encore fait quoi à cette pauv'e p'tite ?

— Rien du tout. Elle dit que personne l'aime.

— Et tu l'as pas rassurée naturellement ?

— J'ai dit qu'elle se trompait.

— Oh, toi, j' te connais ! Espèce de crétin.

— Je...

— Boucle-la. Après tout c' que t'as fait.

— Moi ? Mais j'ai rien fait du tout !

M'am l'a regardé. Ses yeux étaient durs, durs, grossis de colère. On aurait dit que mon papa tombait dans ses sentiments. Ensuite, elle a embrassé le front de M'amzelle Esther.

— Je suis tellement malheureuse, a dit M'amzelle Esther d'une voix plaintive.

M'am a serré ses épaules plus fort.

— T'inquiète pas, p'tite. M'am s'occupe de tout. Ce type, il fait rien que des ennuis. J' sais pas comment j' l'ai pas quitté.

Papa a serré ses doigts très fort, mais il a rien répondu.

A l'école, c'est plus du pareil au même. Lolita est partie. Certes, Pierre Pelletier est toujours là. Il est gentil. Et patient comme lui, y a pas deux. Quelquefois, il essaie de m'apprendre à parler mieux. Il dit que : «je m'ai», «y a pas», «c'est pas», c'est pas vraiment du bon français. Quand j' dis : «j' sais pas», «pourquoi que», c'est du

233

petit-nègre. Que ça fait rire les Blancs et les Noirs éduqués.

— C'est pas un problème, que j' dis, vu que tu comprends c' que j' veux dire.

— Tu serais mieux dans ta peau si tu t'efforçais de mieux parler.

Moi, rien peut me faire sentir bien dans ma peau sans Lolita. J'ai ça dans mon corps, dans mon sang, dans mon âme, mais j' le dis à personne. Maintenant, chaque fois que j' parle à ma manière, Pierre Pelletier me corrige, pour que je devienne un gentleman, qu'il dit. Après, j'ai l'impression que ma tête est vide, que j' connais plus rien. Tout s'embrouille, alors.

Il m'a donné un tas de livres à lire. Il m' dit que comme ça, j' m'en sortirai. Allah! c'est bien difficile! Mais j'aime bien la lecture. Et un jour que j' suis là à lire, voilà que débarque Madame Saddock que j'ai déjà eu l'honneur de vous signaler. Elle est habillée comme une dame blanche avec une jupe plissée et un chemisier blanc et des chaussures assorties. Elle débarque et tout de go, elle demande Soumana.

— Elle est retournée en Afrique, M'am lui dit.

Madame Saddock fronce les sourcils et dit, l'air de pas croire:

— C'est étrange... Dans sa lettre...

— Quelle lettre? elle demande M'am.

— Ouais, quelle lettre? il demande mon papa.

— Une lettre.

— Mais qu'est-ce qu'elle disait sa lettre? elle demande M'am.

— J'ai pas à vous l' dire. Mais c'est étrange.

— Si vous voulez rien dire, Madame, qu'il dit mon papa, c'est qu'il y a pas de lettre.

234

— Vous me traitez de menteuse ?

— J'ai pas dit ça. Mais c'est que… *can't write*

— Je vous connais ! qu'elle menace Madame Saddock. Vous l'avez maltraitée ! *prejudiced*

— Mais…

— Et vous l'avez tuée !

— Vous êtes folle ! Allez, sortez immédiatement de chez moi.

Madame Saddock ricane, puis elle dit :

— Ça va, ça va… Je m'en vais… Mais vous aurez bientôt de mes nouvelles.

Relation — Loukoum → father.

Soumana letter → Mme Sad.

Soumana.

could be Loukoum.

not gonna give up.

score of Saddock

Turns against western culture by using education gained in west cult'.

Je suis devenu fou. D'ailleurs, ils sont venus me chercher. Non, ne pleure pas pour moi, l'ami. Pleure pour toi-même, pour ton fils. Je sais aujourd'hui ce que c'est que d'être ici, enfermé. Je savais que d'autres types étaient enfermés là, hors du monde, mais jamais je m'en serais fait une idée si claire, si précise.

J'ai cru sentir l'angoisse. Je la touche.

J'ai cru avoir peur. J'ai peur.

J'ai cru être vaincu. Je suis vaincu.

Mes certitudes s'envolent.

Ma tête explose.

Ne pas penser. Tous les hommes se trompent. Tous les hommes vont au-devant de leur perte. Tout le monde commet des erreurs ! Mais je n'ai rien fait de mal. J'ai juste essayé de trouver dans un environnement différent des exorcismes convenables.

Allah viendra à mon aide. Rester calme. Dominer mon angoisse et même penser avec lenteur. Il faut que je m'efforce de croire qu'il ne se passe rien de grave, qu'il ne peut arriver rien de grave, jusqu'à ce que le nœud fatal se défasse tout comme il s'est noué.

Il faut être calme et se sentir calme. Je n'ai rien

236

fait de mal. C'était la seule recette pour conjurer les maléfices. Mais les manipulations minuscules exigent des préparatifs délicats. Il aurait fallu ne pas se tromper de plantes, ni de dosages, ni d'instants, ni de température.

Je ne me suis pas trompé. J'ai juste cherché la survie dans mes signes à moi. Mais tu as eu peur, l'ami. Tu as peur de ce Dieu si différent, de mes idées différentes du dessein de l'homme, de la souffrance, de la mort, tout ce qui selon mes traditions donne pour bien ce qui serait pour toi le comble de l'horreur.

Je n'ai rien fait de mal car ta législation n'a pas intégré mes coutumes.

(Abdou Traoré)

Seigneur! Les policiers sont venus chercher mon papa. Ça a été comme un coup de théâtre. Et lui, on dirait qu'il comprend rien à ce qui arrive. Ils lui ont passé les menottes et ils l'ont emmené. M'am n'a pas bougé. Elle a serré ses poignets très fort. Elle a le visage du désespoir. Mais elle dit rien. C'est quand elle n'a plus rien entendu qu'elle s'est écroulée. Elle pleure, elle pleure, elle pleure. La vie est sans pitié. Alors, elle se calme. Puis elle dit:

— Même dans la tombe, elle me lâche pas.

Ensuite, des journalistes sont venus. Ils nous ont mis comme ça, les plus petits devant et M'am derrière nous.

— Souriez... Allez, un petit sourire ! qu'il disait le photographe.

Mais personne ne voulait sourire. Ils ont fait des photos quand même. Ils sont partis. Et aujourd'hui, il y a une grande photo de nous dans le journal. C'est Alexis qui me l'a montrée. Et c'est écrit : « UNE FAMILLE D'IMMIGRÉS DÉCLARE DES FAUSSES NAISSANCES ET DÉTOURNE PLUSIEURS MILLIONS DE CENTIMES AUX ALLOCATIONS FAMILIALES. »

— Vous voilà célèbres ! qu'il dit Alexis en rigolant.

Moi, je m'en serais bien passé. J'ai le vague à l'âme. J' sais pas c' que j'ai, mais j' suis pas bien. Je regarde la télévision, mais j' vois rien, j'entends rien. On dirait qu'il y a trop de choses dans mes yeux qui me bouchent la vue. Je zappe. Alors, pour passer le temps, je m'ai mis à écrire. J'écris un vrai livre. Sur ma vie, et j' me dis qu'un jour on en fera un film.

Ils gardent toujours mon papa. Monsieur Ndongala et toute la famille nègre nous rendent visite. Monsieur Ndongala dit qu'ils peuvent pas garder mon papa plus longtemps, vu qu'ils n'ont pas de preuve. Mais mon oncle Kouam affirme que c'est une histoire de nègre alors, on peut pas prévoir, ça intéresse pas beaucoup les Blancs. S'il y avait la peine de mort, ils l'auraient exécuté et voilà.

Moi, je sais plus où mettre de la tête. J' comprends pas c' que mon papa a fait de mal, alors...

Madame Saddock nous a rendu visite. Elle a essayé d'expliquer des tas de choses à M'am. Qu'elle avait fait ça pour leur bien. Que mon

238

papa était un salaud. Qu'il ne méritait aucune femme au monde. Mais M'am n'a rien voulu savoir, et elle l'a foutue à la porte, cul sec. C'était vraiment drôle.

A la maison, il y a plus grand-chose à manger, il y a plus de fric, vu que mon papa est toujours appelé et gardé à vue pour être mieux décortiqué. Je fais des bracelets, je les vends et j' donne l'argent à M'am.

— Garde ton argent, elle m' dit. T'en auras besoin pour autre chose.

J'insiste, elle accepte mais à condition, dit-elle, qu'elle participe à l'affaire. Alors, elle m'aide un peu au début. Bientôt, elle y prend goût et dirige l'entreprise. Elle fait venir des tas de peaux de serpents d'Afrique. Un jour, elle dit :

— On pourrait aussi faire des bagues.

Et on a fabriqué des bagues. On gagne du fric et M'am est vraiment contente. En plus, elle a l'idée géniale d'embaucher un Blanc pour nous aider à vendre les bracelets chez les Blancs, car c'est plus facile à un Blanc d'ouvrir sa porte à un autre Blanc. Il s'appelle Laurent, c'est plutôt le genre familier avec les négresses qu'il appelle souvent « ma Doudou » ou « ma vieille » ou « ma grosse ». La première fois qu'il a essayé de faire ça avec M'am, elle lui a envoyé qu'ils n'ont pas élevé les veaux ensemble.

Je suis l'homme de la maison. C'est moi qui m'asseye au fauteuil de mon papa après le travail. C'est drôlement bien. M'am me sert le thé. Elle s'assoit à côté de moi et elle me raconte des histoires. Elle parle de papa, de son mariage, de mes sœurs, de moi. Des choses simples de la vie quotidienne. J'ai tellement l'habitude de fabriquer des bijoux avec des lacets, que j'emmêle des couleurs rien que pour voir c' que j' peux en faire. Dehors, la vie continue et c'est agréable, sauf l'histoire de Lolita qui m'empêche de dormir.

Aujourd'hui, M'amzelle Esther nous a rendu visite. Elle a accouché. Elle a plus de ventre qu'avant, mais c'est toujours une belle plante. Elle a amené son petit garçon. Il s'appelle Abdou Junior. Et c'est là que ça s'est gâté avec M'am.

M'am est en train de décortiquer des cacahuètes. Voilà que M'amzelle Esther colle Abdou Junior sous son nez et arrête pas de vanter ses qualités. C'est une petite chose couleur fraise avec juste une touffe de cheveux au milieu du crâne.

— M'am, regarde, il est si mignon, fait M'amzelle Esther. A la clinique, tout le monde en était fou. Ils disent qu'ils n'ont jamais vu un si beau bébé.

M'am continue de décortiquer ses cacahuètes sans la regarder.

— Il est si intelligent, tu sais. Monsieur Guillaume dit qu'il ressemble à Abdou. Il en sera si fier quand il le verra.

M'am ne répond toujours pas. M'amzelle Esther ne veut pas s'avouer vaincue. Elle insiste :

— Tu trouves pas qu'il est mignon ?

— Il est plutôt grosse écrevisse, elle dit M'am en jetant les cacahuètes décortiquées dans l'assiette.

— Mais mignon, continue M'amzelle Esther. Et si intelligent.

240

Elle soulève son bébé et lui colle un baiser sur la joue. Et le bébé fait des gazouillis.

— Un vrai chou! Avoue que t'as jamais vu un bébé si mignon, elle insiste.

— Il a pas un brin de cheveu sur la tête. Il a une grosse tête.

— Mais il est quand même gentil, intelligent, et il ressemble à Abdou.

M'am ne répond pas.

— C'est vraiment un descendant d'Abdou. Tout le monde l'adore. Toi aussi tu l'aimes, n'est-ce pas, M'ammaryam?

Tout le monde a vu M'am jeter ses cacahuètes sur la natte. Rien que ce geste contenait beaucoup de choses. Le passé et le présent. Elle pousse un long soupir et regarde attentivement M'amzelle Esther et Abdou Junior.

— Non, M'amzelle Esther. J'aime pas ton fils. C'est c' que tu voulais savoir? Eh bien, tu es fixée.

— Pourquoi? qu'elle demande M'amzelle Esther, les larmes dans les yeux. C'est qu'un bébé et tout le monde peut que l'aimer.

M'am ne dit rien. Elle ramasse ses nattes et forme un chignon au sommet de son crâne.

— Je sais pourquoi tu l'aimes pas, elle dit M'amzelle Esther, c'est parce qu'il ressemble à Abdou. Tu es jalouse, voilà tout.

— C'est toi qui es jalouse, qu'elle répond M'am. Moi, c'est plutôt de l'indifférence. Je l'aime pas, je le déteste pas. Tout c' que je veux, c'est qu'il soit pas devant mes yeux tout le temps.

— Tout le temps? Mais c'est la première fois que...

— C'est une fois de trop. J'ai assez de problèmes personnels. Abdou Junior est un homme et quand il va être grand, il m'en posera d'autres, voilà tout !

— Mais non ! J' suis sa mère. Je lui apprendrai à respecter la femme.

— Toi et toutes les femmes derrière toi. Quand il va commencer à parler, tu vas voir que le premier mot qu'il sortira de sa bouche, c'est pas toi qui lui auras appris.

— Tu veux m'expliquer que je ne saurai pas éduquer mon propre fils, hein, c'est ça ?

— C'est pas c' que je voulais dire. Moi, j' dis qu'un homme de plus dans cette maison me dérange, voilà tout.

— Très bien… Viens, mon petit, on s'en va. On est pas les bienvenus ici.

Elle a la voix triste. Elle se tourne vers M'am et dit :

— Je te remercie pour tout.

Et elle est partie.

M'am n'est pas fringante, elle non plus. Elle a même les yeux humides. Après le départ de M'amzelle Esther, elle a dit :

— C'est vrai que la vie est vraiment une sale ordure.

Et elle a craché.

Ne pas penser. Ne pas penser. Surtout ne penser à rien. Ce qui s'est passé est passé. Ne pas penser. Ne pas penser autant. Rester tranquille. Il suffit d'appuyer sa tête là, oui, comme ça. On est bien là, la tête appuyée, oui, comme ça. On est bien là, la tête appuyée, sans penser à rien. On peut fermer les yeux, les rouvrir que ça sera du pareil au même. C'est pareil. En ouvrant les yeux, on découvre les murs lacérés par quelques mains prisonnières. On peut aussi dessiner en grattant peu à peu la chaux avec ses ongles. On gratte lentement parce qu'on a tout le temps devant soi. On racle peu à peu et le petit bruit désagréable de l'ongle contre le mur, ce crissement qui fait grincer les dents et l'ongle qui glisse sur le mur révèle un dessin qui prend peu à peu forme humaine. Non à demi humaine et qui tient compagnie. Parce qu'il arrive un moment où l'expression se dégage du mur nu, parce qu'il arrive un moment enfin où la forme maladroitement dessinée ressemble à quelque chose. Un poisson? Un singe? Un homme? Une femme. Oui, sûrement une femme qui se met à te regarder, plante sur toi ses grands yeux émerveillés et il semble que tu ne sois plus seul.

Ne pas penser, ne pas penser. Il me faut regarder

le mur, laisser couler le temps en regardant le mur. Il ne faut pas que tu penses parce que tu ne peux rien arranger en pensant. Non. Tu es là, calme, tranquille. Tu es bon, tu as voulu faire le bien. Tu as voulu bien faire. Tout ce que tu as fait, tu l'as bien fait. Tu ne pensais pas à mal. Tu l'as fait du mieux que tu savais, que tu pouvais. Si c'était à refaire...

Non! Imbécile.

Ne pense pas.

Fatalité du destin, résigne-toi! Il faut demeurer là tranquille, autant de temps qu'il sera nécessaire, sans bouger. Apprendre à se concentrer peu à peu dans un vide sans pensée. Tant que je suis là, bien tranquille, il ne peut rien m'arriver. D'ailleurs, je ne peux rien faire par moi-même. Du calme. Je ne peux rien faire, donc je ne peux pas me tromper. Ce qui va se passer va se passer hors de moi, sans moi. D'ailleurs, tu n'avais pas le choix. La législation française a tout prévu. Sauf ça. Deux ou quatre épouses. Imbécile! Reste calme. Imperturbable. Celui qui fait la preuve de son esprit lucide et de son intégralité peut dire qu'il triomphe, même si tout le monde croit qu'il fait dans sa culotte. Il triomphe s'il garde un fond de liberté qui lui permet de choisir ce qui lui arrive, ce qui l'écrase.

Je veux! Je veux!

(Abdou Traoré)

Ils ont relâché mon papa. Il a plus retrouvé son service aux poubelles. Il dit que c'est pas grave, que de toute façon, il préfère nous aider à fabriquer des bijoux. C'est plus agréable.

244

Monsieur Kaba lui a demandé si ça le gênait pas que sa femme commande.

— Pourquoi que tu veux que ça me dérange? il a dit. Ça a l'air de lui faire plaisir. Elle a du métier et elle est une bonne maîtresse. J'apprends vite à gérer.

Ça m'a turlupiné un peu quand il a repris son fauteuil. Ça m'a fait comme un choc. Mais il est tellement gentil que bon, après tout, c'est mon papa. Et il n'est vraiment plus le même. Dans les nuits de pleine lune, il reste à la fenêtre songeur et regarde le bonhomme dans la lune. Je sais pas c' qui se passe dans sa tête. M'am, ça l'intéresse pas. On dirait que c'est elle qui le voit plus. Il fait tout. Il aide M'am à cuisiner le dimanche. Ensuite, il l'emmène promener au jardin. M'am n'a plus la même allure. Elle met des pantalons, des bleus, des jaunes, des rouges avec des sandales assorties. Elle paraît plus jeune, plus insouciante. Mon papa, lui, il guette quelque chose. On dirait qu'il fouille la nature. L'autre jour, il a apporté une plante à la maison. Il la soigne, il la nourrit, comme si c'était un bébé. Il a même ramené des fleurs à M'am. Monsieur Guillaume dit qu'il cherche Dieu dans la femme. Il achète plein de bijoux à M'am et manque pas une occasion pour la complimenter comme s'il la trouvait très belle. M'am l'écoute pas. On dirait que c'est une grenouille qui lui parle, alors, elle entend pas. Quelquefois, elle éclate de rire et parle d'autre chose. Par exemple qu'il fait bien chaud et qu'elle aimerait bien apprendre à nager ou aller danser. Alors, mon papa s'inquiète. J'ai entendu mon papa dire à Monsieur Guillaume qu'il sait plus quoi faire. Qu'il l'aime vraiment.

245

Et Monsieur Guillaume lui a dit que le mieux c'est encore de lui parler. Mon papa a fait: «Chouette! Je vais lui demander de m'épouser pour la deuxième fois», et tout le monde a applaudi.

Moi, j' me demande bien pourquoi on a besoin d'amour. Pourquoi on souffre. Pourquoi on est noir. Pourquoi les hommes, pourquoi les femmes. D'où viennent les différences. Où vont les morts. J' me rends compte que malgré l'école, j' connais rien du tout. Du tout. Et que j'ai encore beaucoup de chemin à parcourir.

Je pense à Lolita. Je suis triste. J'ai du chagrin. Surtout quand je vois marcher une fille et que j' crois que c'est elle. Je me souviens de ses cheveux, de la pluie dehors, la pluie qui claque, de ses doigts qui courent, gros câlins. Je me souviens de tout. Et tout me revient. Par moments, je veux plus penser. Je veux qu'elle me quitte. Qu'elle me laisse souffler. Je suis épuisé. Je veux vivre comme hier. Comme avant ce jour. Il faut que je me secoue, alors, je travaille. Je vis dans le travail. J'écris sans cesse. Mais je suis heureux de mon sort. Si Lolita m'écrit, je serai aux anges. Si elle m'écrit pas, je me contenterai de mon sort entre mes parents, les nègres de Belleville et l'école. Occupe-toi l'esprit en attendant, j' me dis. Voilà c' que j'ai à apprendre de la vie: remplir l'absence.

J' suis là dans ces pensées que j' reçois une lettre de Lolita. La vie est vraiment étrange! J'ai ouvert l'enveloppe. Ensuite je l'ai refermée. J'ai les mains qui tremblent.

La nuit, j'arrive pas à dormir. Je me raconte l'histoire de Lolita par tous les bouts. Je la ressors de la tête. Je me perds dans mon récit. Commencer par le début! Commencer par la fin et finir par le début. Oui, notre histoire commence par cette lettre. Je l'ai pas lue. J'ose pas. Peut-être bien qu'elle me dit qu'elle m'aime plus. Qu'elle me supporte plus.

Allongé dans mon lit, je regarde le plafond. J'écoute les bruits de la nuit et je pense à Lolita. Des jeunes sont passés. Ils rigolaient haut. J'entends des bruits qui proviennent du coin-couchette. Mon papa dit qu'il arrive pas à dormir. Qu'il fait chaud. Qu'il va fondre comme un morceau de sucre au soleil.

M'am se lève et ouvre la fenêtre. Mon papa dit:

— Regarde la lune, mon amour. Y a un bonhomme qui travaille là-bas parce qu'il bafouait le Seigneur.

— Parce qu'il savait pas aimer les femmes, M'am lui fait.

— J'aime bien la lune, mon papa dit. Elle est ronde et parfaite comme la femme. Et toi, t'aimes quéque chose de spécial?

— Ouais. J'aime les oiseaux.

Mon papa rit comme à une bonne blague.

— Tu sais, Maryama, dans le temps, tu me faisais penser à un oiseau. Oh, il y a si longtemps! C'est quand nous nous sommes mariés. T'étais si maigre, Seigneur! Et si fragile! J'avais l'impression que t'allais t'envoler si on t' soufflait dessus.

— C'est vrai? Tu l'avais remarqué?

— Ouais. Mais j'étais trop préoccupé par l'histoire des enfants pour m'en soucier. Aujourd'hui...

— Quoi, Abdou?

— J' voudrais qu'on s' marie.

247

— Comment ?

— Se marier tous les deux. Pas seulement physiquement, mais que nos âmes soyent liées, si tu vois c' que j' veux dire.

— C'est un peu tard, tu trouves pas ?

— Non. Nous sommes toujours mari et femme.

Il se tait avant de reprendre :

— La mort de Soumana m'a fait réfléchir. Ça m'a fait pressentir d'autres morts, tu comprends ? Et la prison n'a fait que renforcer cette impression.

— Je vois.

— Et depuis, j' regarde tout. Une petite fleur, un grain de sable, un papier qui vole dans la nuit... Tout est lié et j' fais partie de cette merveilleuse création.

— Tant mieux, elle répond M'am.

— Ouais... J'ai de l'expérience maintenant. J'apprends à mieux aimer. Et j'ai remarqué que les enfants sont plus attachés à moi.

— L'amour est comme ça. Si t'aimes, alors on t'aime en retour.

— Ouais... Mais, dis-moi, femme... Comment t'as fait pour me supporter durant tant d'années ?

Elle a pas répondu. J'ai entendu des pleurs.

Je quitte mon lit, la lettre de Lolita entre mes mains. Mon corps est suspendu comme mon esprit. Avec des visages que je rencontre. Tous les visages qui ont traversé ma vie. J'entends plus rien. Comme si une paroi de verre me séparait d'eux. Je ne communique plus. La liaison est rompue. Le monde s'est envolé. J'ouvre la lettre de Lolita.

Cher Mamadou,

Peut-être bien que tu me crois morte. Mais je vis et je pense à toi. Je ne sais pas si je peux t'écrire tous les jours parce qu'ici, nous sommes très surveillés. Y a un médecin qui vient me voir tous les jours. Il paraît que ce qui s'est passé entre nous me tourmentera encore longtemps et que la nuit, je ferai des cauchemars.

Mais la nuit quand je dors, je te vois. Tu me prends la main et tu m'emmènes très loin dans un pays où il y a beaucoup de soleil, d'arbres, des forêts de lilas, des bougainvillées, des clowns qui font des tours de magie. De toute façon, je raconte mes rêves à personne. Même pas à maman qui s'inquiète pour ma santé parce que je veux pas lui parler. Personne ne sait rien et ils ne sauront jamais rien. Ils disent que je suis malade psychique. Moi, je sais que tu es là et personne d'autre ne te voit… Peut-être que je reverrai pas ton visage avant cent ans, mais je suis sûre qu'un jour ou l'autre je verrai ton visage.

Ta Lolita qui t'aime.

Seigneur! quand j'ai fini de lire la lettre de Lolita, j'ai comme de la chaleur dans le corps. Je commence à tourner en rond. J'arrive pas à tenir en place. Je lève le bras au ciel. Merci, Seigneur, de m'avoir donné Lolita. Puis je m'assois dans un coin, je prends ma tête dans mes genoux. Je pleure. J'imagine la Lolita couchée seule dans son lit. Elle est éveillée pour les mêmes raisons. Je pleure encore. Je dégouline. Seigneur ! Oui, on se mariera ! On aura des mômes ! Je leur ferai des chambres avec des éléphants, des hippopotames, des oiseaux et des fleurs... Il y aura des couchers de soleil comme sur les images pieuses. Avec une grande brèche qui t'aspire vers les trous du ciel...

Un instant, j'ai pensé à Soumana ; personne ne parle d'elle, pourtant, elle est là dans chaque objet, dans chaque souffle d'air qui traverse la maison. Oh ! Dieu, il s'en passe des choses chez les nègres...

Aujourd'hui, c'est le 14 Juillet. Les Français ont fait leur Révolution. Toute la tribu a décidé d'aller pique-niquer au bois de Boulogne. C'est férié. Alors les Noirs se réunissent pour faire leur fête à eux. Dans le bois, l'écorce des arbres est comme la peau d'un vieil éléphant qui danse dans la chaleur des souvenirs. Une chaleur qui effondre. Les enfants qui crient. Les mamans qui surveillent les mômes du coin de l'œil en servant le repas dans des assiettes en carton.

Aminata et mon oncle arrivent. Elle a la bouche gonflée. Il la dévore des yeux. Mon oncle est heureux à ce que j' vois dans son regard.

Aminata se jette dans tous les bras. Elle dit :

— Kouam et moi, on va se marier.

M'am lève la tête. Elle dévore des yeux le couple enlacé, puis elle demande :

— Et ton impresario ?

— Bah ! Je l'ai plaqué.

— Mmmm, fait M'am.

Mon papa a le regard perdu par-dessus les arbres. Il semble réfléchir et il demande :

— Vous n'avez pas peur des représailles ? Avec les maquereaux on sait jamais, des fois qu'on te retrouverait au fond de la Seine.

— C'est pas grave, elle dit Aminata. J' peux pas comprendre la vie si on est là juste pour être malheureux.

— J' sais pas combien d'hommes t'as connus, qu'elle dit M'am. Mais j' trouve que tu t'en tires plutôt bien.

— Ouais. Même le malheur se fatigue, répond Aminata.

Son regard immobile se tourne vers moi. Je ferme les yeux. Je les ouvre. Je regarde le ciel. Je pense que, où qu'elle soit, Lolita partage ce bout de ciel avec moi. Cela m'emplit de bonheur. Je souris.

— Qu'est-ce que t'as à rire comme une bécasse? elle dit M'am en plaisantant.

J' réponds pas. Elle peut pas comprendre. Ils peuvent pas comprendre. Ils sont pas dans le coup. Ils sont trop vieux. Et pourtant, ils sont si heureux!...

Oui, les chemins du bonheur sont bien complexes.

Grands romans

La littérature conjuguée au pluriel,
pour votre plaisir. Des œuvres de grands
romanciers français et étrangers,
des histoires passionnantes, dramatiques,
drôles ou émouvantes, pour tous les goûts...

ADLER Philippe
Bonjour la galère !
1868/1
Les amies de ma femme
2439/3

Mais qu'est-ce qu'elles veulent
ces bonnes femmes ? Quand il
rentre chez lui, Albert aimerait
que Victoire s'occupe de lui mais
rien à faire : les copines d'abord.
Jusqu'au jour où Victoire se fait
la malle et où ce sont ses
copines qui consolent Albert.

ANDREWS™ Virginia C.
Fleurs captives

Dans un immense et ténébreux
grenier, quatre enfants vivent
séquestrés. Pour oublier leur
détresse, ils font de leur prison le
royaume de leur jeux, le refuge
de leur tendresse, à l'abri du
monde. Mais le temps passe et le
grenier devient un enfer. Et le
seul désir de ces enfants deve-
nus adolescents est désormais de
s'évader... à n'importe quel prix.

- Fleurs captives
1165/4
- Pétales au vent
1237/4
- Bouquet d'épines
1350/4
- Les racines du passé
1818/5
- Le jardin des ombres
2526/4
La saga de Heaven
- Les enfants des collines
2727/5

C'est l'envers de l'Amérique :
la misère à deux pas de l'opu-
lence. Dans la cabane sordide
où elle vit avec ses quatre frères
et sœurs, Heaven se demande

comment ses parents ont eu
l'idée de lui donner ce prénom :
«Paradis». Un jour, elle appren-
dra le secret de sa naissance.

- L'ange de la nuit
2870/5
- Cœurs maudits
2971/5
- Un visage du paradis
3119/5
- Le labyrinthe des songes
3234/6
Ma douce Audrina
1578/4

Etrange existence que celle
d'Audrina ! Sur cette petite fille
de sept ans, pèse l'ombre d'une
autre : sa sœur aînée, morte il y a
bien longtemps dans des circonstances tragiques et qu'elle est
chargée de faire revivre.

Aurore
Un terrible secret pèse sur la
naissance d'Aurore. Brutalement séparée des siens, humiliée, trompée, elle devra payer
pour les péchés que d'autres
ont commis. Car sur elle et sur
sa fille Christie, plane la malé-
diction des Cutler...

- Aurore
3464/5
- Les secrets de l'aube
3580/6
- L'enfant du crépuscule
3723/6
- Les démons de la nuit
3772/6
- Avant l'aurore
3899/5

ARCHER Jeffrey
Le souffle du temps
4058/9

ASHWORTH Sherry
Calories story
3964/5 Inédit

ATTANÉ Chantal
Le propre du bouc
3337/2

AVRIL Nicole
Monsieur de Lyon
1049/2
La disgrâce
1344/3

Isabelle est heureuse, jusqu'au
jour où elle découvre qu'elle est
laide. A cette disgrâce qui la
frappe, elle survivra, lucide,
dure, hostile, adulte soudain.

Jeanne
1879/3

Don Juan aujourd'hui pourrait-il
être une femme ? La belle
Jeanne a appris, d'homme en
homme, à jouir d'une existence
qu'elle sait toujours menacée.

L'été de la Saint-Valentin
2038/1
La première alliance
2168/3
Sur la peau du Diable
2707/4
Dans les jardins
de mon père
3000/2
Il y a longtemps
que je t'aime
3506/3

L'amour impossible entre
Antoine, 14 ans, et Pauline, sa
belle-mère.

BACH Richard
Jonathan Livingston
le goéland
1562/1 Illustré
Illusions/Le Messie
récalcitrant
2111/1
Un pont sur l'infini
2270/4

Grands romans

BELLETTO René
Le revenant
2841/5
Sur la terre comme au ciel
2943/5
La machine
3080/6
L'Enfer
3150/5

BERBEROVA Nina
Le laquais et la putain
2850/1
Astachev à Paris
2941/2
La résurrection de Mozart
3064/1
C'est moi qui souligne
3190/8
L'accompagnatrice
3362/4
De cape et de larmes
3426/1

TERROIR

Romans et histoires vraies
d'une France paysanne
qui nous redonne le goût
de nos racines.

BRIAND Charles
De mère inconnue
3591/5
Le destin d'Olga, placée comme
domestique chez des paysans
angevins et enceinte à 14 ans.

CLANCIER G.-E.
Le pain noir
651/3

GEORGY Guy
La folle avoine
3391/4
Orphelin, Guy-Noël vit chez sa
grand-mère, une vieille dame
qui connaît tout le folklore et
les légendes du pays sarladais.

Roquenval
3679/1
A la mémoire de
Schliemann
3898/1

BERGER Thomas
Little Big Man
3281/8

BEYALA Calixthe
C'est le soleil qui m'a
brûlée
2512/2
Le petit prince de
Belleville
3552/3
Maman a un amant
3981/3
Loukoum, douze ans, est un
Africain de Belleville, gouailleur
et tendre comme tous les
gamins de Paris. Mais voilà que

JEURY Michel
Le vrai goût de la vie
2946/4
Une odeur d'herbe folle
3103/5
Le soir du vent fou
3394/5
Un soir de 1934, alors que souffle
le vent fou, un feu de brous-
sailles se propage rapidement et
détruit la maison du maire...

LAUSSAC Colette
Le sorcier des truffes
3606/1

MASSE Ludovic
Les Grégoire
Histoire nostalgique et tendre
d'une famille, entre Conflent et
Vallespir, en Catalogne françai-
se, au début du siècle.

- Le livret de famille
3653/5
- Fumées de village
3787/5
- La fleur de la jeunesse
3879/5

sa mère décide soudain de
s'émanciper. Non contente de
vouloir apprendre à lire et à
écrire, elle prend un amant, un
Blanc par-dessus le marché !
Décidément, la liberté des
femmes, c'est rien de bon...

BLAKE Michael
Danse avec les loups
2958/4

BORY Jean-Louis
Mon village à l'heure
allemande
81/4

BOUDARD Alphonse
Saint Frédo
3962/3

BRAVO Christine
Avenida B.
3044/3

PONÇON Jean-Claude
Revenir à Malassise
3806/3

SOUMY Jean-Guy
Les moissons délaissées
3720/6
Mars 1860. Un jeune Limousin
quitte son village natal pour
aller travailler à Paris, dans les
immenses chantiers ouverts par
Haussmann. Chaque année, la
pauvreté contraint les gens de
la Creuse à délaisser les moissons... Histoire d'une famille et
d'une région au siècle dernier.

VIGNER Alain
L'arcandier
3625/4

VIOLLIER Yves
Par un si long détour
3739/4

Grands romans

BROUILLET Chrystine
Marie LaFlamme
- Marie LaFlamme
3838/6

En 1662, à Nantes, la mère de
Marie est condamnée au
bûcher. Pour sauver sa fille, elle
lui fait épouser un riche et cruel
armateur, Geoffroy de St
Arnaud. Mais Marie aime Simon
et pour conquérir sa liberté, elle
est prête à tout. Même à
s'embarquer pour la Nouvelle-
France, qui va devenir le
Canada...

- Nouvelle-France
3839/6
- La renarde
3840/6

BYRNE Beverly
Gitana
3938/8

CAILHOL Alain
Immaculada
3766/4 Inédit
Histoire d'un écrivain paumé, en
proie au mal de vivre. Un
humour désespéré teinte ce premier roman d'un auteur borde-
lais de vingt ans, qui s'inscrit
dans la lignée de Djian.

CALFAN Nicole
La femme en clef de sol
3991/2

CAMPBELL Naomi
Swan
3827/6

CATO Nancy
Lady F.
2603/4
Tous nos jours sont des adieux
3154/8
Sucre brun
3749/6
Marigold
3837/2

CHAMSON André
La Superbe
3269/7
La tour de Constance
3342/7

CHEDID Andrée
La maison sans racines
2065/2
Le sixième jour
2529/3
Le choléra frappe Le Caire.
Ignorante et superstitieuse, la
population préfère cacher les
malades car, lorsqu'une ambu-
lance vient les chercher, ils ne
reviennent plus. L'instituteur l'a
dit : «Le sixième jour, si le choléra ne t'a pas tué, tu es guéri.»

Le sommeil délivré
2636/3
L'autre
2730/3
Les marches de sable
2886/3
L'enfant multiple
2970/3
Le survivant
3171/2
La cité fertile
3319/1
La femme en rouge
3769/1

CLANCIER
Georges-Emmanuel
Le pain noir
651/3
Le pain noir, c'est celui des
pauvres, si dur, que même les
chiens n'en veulent pas. Placée
à huit ans comme domestique
chez des patrons avares, Cathie
n'en connaîtra pas d'autre. Récit
d'une enfance en pays
Limousin, au siècle dernier.

CLERC Christine
*Jacques, Edouard,
Charles, Philippe
et les autres*
3828/5

CLÉMENT Catherine
Pour l'amour de l'Inde
3896/8
Le roman vrai des amours de
Nehru et de Lady Edwina
Mountbatten, l'une des plus
grandes dames de l'aristocratie
anglaise, femme du dernier des
vice-rois des Indes britanniques.

COCTEAU Jean
Orphée
2172/1

COLETTE
Le blé en herbe
2/1

COLOMBANI
Marie-Françoise
*Donne-moi la main,
on traverse*
2881/3
Derniers désirs
3460/2

COLLARD Cyril
Cinéaste, musicien, il a adapté à
l'écran et interprété lui-même
son second roman Les nuits
fauves.
Le film 4 fois primé, a été élu
meilleur film de l'année aux
Césars 1993. Quelques jours plus
tôt Cyril Collard mourait du sida.
Les nuits fauves
2993/3
Condamné amour
3501/4
Cyril Collard : la passion
3590/4 (par J.-P. Guerand &
M. Moriconi)
L'ange sauvage (Carnets)
3791/3

CONROY Pat
Le Prince des marées
2641/5 & 2642/5
Le Grand Santini
3155/8

CORMAN Avery
Kramer contre Kramer
1044/3

Composition Interligne B-Liège
Achevé d'imprimer en Europe (France)
par Brodard et Taupin à La Flèche (Sarthe)
le 29 mars 1996. 6010N-5
Dépôt légal mars 1996. ISBN 2-290-03552-1
1er dépôt légal dans la collection : oct. 1993
Éditions J'ai lu
27, rue Cassette, 75006 Paris
Diffusion France et étranger : Flammarion

3552